28 元代
西元 1277～1367 年　［注音本］

全新 吳姐姐講歷史故事

吳涵碧◎著

目錄

【第610篇】純白色的盛會。

新年到了，到處一片喜氣洋洋，馬可波羅也沾染到歡樂甜蜜的氣息。在元旦那天，忽必烈換上純白色的絲綢衣服，上面綴滿了珍珠寶石，蒙古人尚白，認爲白色是『幸福的瑞兆』，與中國傳統把白色當喪事習慣不一，倒有點兒像西方新娘子穿白色禮服，象徵純潔高貴。

不僅是大汗，其他全體臣僕也都換上了白色的禮服，圍上金閃閃的腰帶，宮外男女老幼也穿上白色的衣服。總之，那一天到處雪白，臣民互相餽贈白色禮物，大肆慶祝元旦，祈望來年幸福歡樂。

接着，好戲上場，五千頭大象，披着繡有金絲鳥獸，閃閃發光的白袍，踏着笨重的象步，來到會場，每隻象馱着兩盒匣子，裡頭裝滿了過白節要用的東西。

象隊後面是駱駝，駱駝背上也馱著器皿甲冑，在大汗之前，表演整齊的分列式，蔚爲奇觀。

跟在駱駝隊伍後面的，是全國各地官吏的効忠儀式，大家各就各位以後，司儀高呼：『拜！』所有的人，一起下跪叩首，並且唸祝賀詞，一共要跪拜四回，然後，獻上厚禮。別的禮物不算，單單當日所呈獻的白馬，全國上貢的合起來，就有十萬匹之多。

見識了這等場面之後，馬可波羅得到忽必烈大汗的許可，開始環遊中國的旅行，忽必烈並且頒賜一塊金牌，使得他在旅行途中無往不利。

馬可波羅騎上一匹駿馬，出了汗八里高大的城門，放騎飛馳而去。他不用擔心會迷路，因爲幹道兩旁都種植著高大的樹木。

一口氣跑了二十多里，馬可波羅到達第一個驛站（當時稱驛站爲站赤，實在是一種招待所），他拿出金牌，立刻有僕役前來招呼，殷勤款待。

馬可波羅進入招待所一看，哇，眞是富麗堂皇，乾淨的臥榻上面，鋪著綢絲被褥，一切所需要的用品非常齊全，馬可波羅舒適的在床鋪上試了一試，心想，這眞是國王級的享受。

驛站裡準備著四百匹快馬，隨時替用，據驛站負責人表示，全國驛站超過三十萬匹馬匹。馬可波羅正在驚奇不已，忽然之間，聽到遠處傳來清脆的鈴聲，叮叮噹噹，自遠而近……。

幾乎是立刻，驛站之中，出來一名大漢，手中牽著一匹馬，腰間繫著一串鈴，站在路邊等。

一會兒，鈴聲愈來愈緊，原來遠方奔來一名騎士，背上背著一個黃綢包，快馬加鞭急馳而來，轉眼間，騎士到了大漢身邊，把黃綢包交給一名官員，官員把黃綢包縛在大漢背上，大漢翻身上馬，頭也不回往前奔，他腰間的小鈴鐺，也不斷發出悅耳的鈴聲。

馬可波羅從來沒有見過如此馬拉松接力，覺得十分新鮮，驛站站長見馬可波羅藍眼黃髮，也忙不迭對老外解釋：

『我是這個驛站的站長，方才是傳一件緊急公文到汗八里去。』

『傳送公文？』馬可波羅還是不懂，一面看著剛剛下馬的騎士，已經滿頭大汗，全身濕透，到驛站裡面去打水洗臉了。

站長說：『在全國主要幹道上，每二十五里有一個驛站，每三里有一小舖，驛站與舖都備有駿馬，以及身手矯健的騎士，只要聽到鈴聲，馬上準備接應，跑下一回路，日夜不停，每日可走三百里左右。在這樣快速的傳遞方式之下，從汗八里到上都原要走上十天，可是用這種方式，一天半就可以到達了。』

『另外，還有一個規定。』站長接著說：『爲了預防萬一，若是馬匹疲累，騎士得以在路上攔下騎馬的人，把對方的馬騎走，被搶走馬的人不得拒絕，也不敢拒絕。』

這種驛站傳送方式，有點兒像救火車，或是救護車，可是，權威大多了，當然，想出這種傳送公文方式的人也很聰明。

馬可波羅環繞中國一周之後，回到了汗八里城的皇宮，他把在中國各地看到有趣的事向忽必烈報告，馬可波羅表達能力高，加上他是一個西方人，藍眼亂瞧，許多事經過他的觀察，似乎更加有趣了，把忽必烈逗得好樂。

『哈哈！好玩！』大汗高聲笑道：『怎麼以前從來沒有人跟我說過這等妙事，馬可波羅，你不如留在我身邊吧，我常派你出使吧！』

於是，馬可波羅當了中國元朝的官吏，而且一待十七年。一直到一二九一年的夏天，護送闊闊眞公主，回到伊兒汗國，才依依不捨道別忽必烈。

在路上經過了兩三年，馬可波羅才回到威尼斯，回國之後，因爲參加克島左納島的海戰，被熱內亞人俘虜入獄，在獄中他口述在東方的見聞，由他人筆錄，寫成《東方見聞錄》，書中極力描寫東方的富庶繁華，忽必烈大汗的威武。此書一出，大爲轟動，起初西方人以爲是天方夜譚癡人說夢，後來逐漸證明，遙遠的東方有一條龍，於是傳鈔本日多，翻譯日廣。現在流行的馬可波羅遊記，有一百四十三種版本之多，可見一斑。

馬可波羅多彩多姿的遊記，挑起了西方人的幻想，紛紛夢想東來，哥倫布受了他的影響，尋找去印度洋的航路，在一四九二年發現了新大陸，馬可波羅的遊記，對促進東西文化的交流，功不可沒，但也熾熱了西方人侵略東方的野心。

閱讀心得

【第611篇】由小奴才變爲宰相。

元世祖即位之初，年年用兵，加以國內種種建設，需要大量的人力財力，如何增加國庫的收入，成爲元世祖最傷腦筋的頭等大事。

憲宗蒙哥在釣魚城戰死的消息傳來時，世祖忽必烈正在鄂州作戰，匆匆忙忙北返，迫不及待在開平即位，當時，忽必烈的弟弟阿里不哥留守和林，看守老家，受到蒙古親王的擁護，也自立爲王，引發了一場帝位之爭。

由於國庫在和林，被阿里不哥所據，世祖沒有祖宗遺產可派上用場，偏偏蒙古的帝王們，一向都有慷慨賞賜的習慣，諸王、公主、駙馬及功臣後裔的排場又大，元世祖頗有捉襟見肘之苦。

同時，元初建國，百廢待舉，不論組織政府、修建大都，都需有大筆款項，而用兵費用，從討伐阿里不哥，平定宋朝，一直到遠征日本、安南、緬甸、爪哇，更是用錢無數，甚且元朝建佛寺作佛事都是天文數字。

然而，中國儒家學說，一向鄙視理財，孟子主張『何必曰利』，可是世祖現在非重利不可。於是，善於弄錢的聚斂之臣便乘機崛起，其中最著名的是阿合馬、盧世榮與桑哥。

阿合馬是花剌子模一個回回人，他原是世祖順聖皇后陪嫁的小奴才，順聖皇后不但貌美如花而且多才多藝，世祖由於寵愛美人兒，連帶對皇后

身邊的小奴才也產生好感。

阿合馬嘴巴很甜，人很乖巧，懂得如何討世祖歡喜，世祖遂認爲，如此人才，只在宮中掃掃地、倒倒茶未免太可惜了。在世祖即位第三年，提拔阿合馬爲諸路轉運使，掌理全國的財賦，他所提出由政府冶鐵、煮鹽的計畫，爲國庫增加了大筆收入，世祖大樂，特任命爲平章政事（就是宰相）。

世祖欣賞阿合馬的多機智、善理財，他曾經對人說：『爲宰相者，要能明天道，察地理，盡人事，兼此三者，殊不多得，唯有回回阿合馬，有宰相之才。』

阿合馬得到世祖全盤信任，十分得意，對世祖拍胸脯道：『陛下以事委臣，臣對陛下負責，臣所用之人，各對臣負責。』分層負責，原是好事，但是阿合馬用人全不合法，不按手續，只憑好惡。

阿合馬十分好色，只要聽說那兒有美女，必然千方百計弄到手，因此之故，有些厚顏無恥，一心巴望做官的小人，紛紛把自己的妻子女兒姊妹獻給阿合馬，只要獻上的果然其貌不凡，被阿合馬相上，就能撈到一官半職。曾經有左丞崔斌彈劾阿合馬任用私人，遍設冗官，阿合馬反咬崔斌一口，說崔斌盜賣官糧四十萬石，把崔斌給害死了。

在阿合馬的聚歛之下，京兆等路每年歲入，自一萬九千錠增加到五萬四千錠，政府的收入是增加了，可是苛捐雜稅名目過多，人民受不了，何況朝廷收到的只是一半，阿合馬與其手下也收一半。

此時四川的益都千戶王著，乃是一位任俠之士，激於義憤，決心爲民除害。

他訂製了一只大銅鎚，藏在身上，祕密潛入京師，又找到志同道合的僧人高和尚商議道：『想阿合馬目中無人，只害怕皇太子眞金，不如僞稱太子在你那兒作佛事，召見阿合馬，諒他不敢不來。』

爲了逼眞起見，王著還找了人，僞裝太子，一切就緒之後，阿合馬果然神色倉惶趕到廟裡。王著一見到阿合馬，掏出袖中的大銅鎚，對準阿合馬的腦袋擊過去，阿合馬的手下還沒會過意來之時，阿合馬已經被打得腦漿迸裂，一命嗚呼。

當然，王著在衆目睽睽之下行兇，立刻被逮捕，並且以謀殺大臣的罪名論斬。王著倒也不畏縮，他在臨刑之前大呼：『王著爲天下除害，今天死不足惜，他日必有爲我記載這件事的。』果然，王著名垂史冊。

世祖聞說阿合馬被殺，先是十分傷心，等到他了解阿合馬生前做盡壞事，抄家得贓款八十一萬錠，又有一百三十三人獻妻女得官，不禁大怒，下令將阿合馬的棺材打開，把屍體丟在通玄門外，讓野狗把這走狗的肉啃光。

阿合馬死了，國家缺乏理財之人，面對著長串赤字，元世祖鬱鬱不樂，更對鈔票貶值發愁，此時，有人推薦阿合馬手下紅人盧世榮頂替。

盧世榮原是靠賄賂巴結阿合馬，當上了江西榷茶運使，後來犯了罪給革了職，他自認爲有本事，可以『使天下歲課鈔九十三萬餘錠，增加到三百萬錠。』世祖十分歡喜，授盧世榮全權處理財政。

當時翰林學士董用頗不以爲然，曾經質問盧世榮：『我不知右丞（指盧世榮）自謂生財有道，可增加賦稅又不擾民，這錢是出自右丞之家，還是出自百姓，如出自右丞之家，則非我所知。如果出自百姓之家則好比剪羊毛，牧羊者每年剪兩次交給主人，現在日日剪羊毛，主人固然歡喜，無奈羊毛剪光難禦寒暑，必然早死，毛又從何再得呢？』

盧世榮不能回答。他大肆搜括的結果，不到一年，被一個不怕死的監察御史陳天祥，搜集了盧世榮貪汙的證據，被世祖斬首。盧世榮死後，桑哥繼起，爲了弄錢，他竟然大肆挖掘宋朝歷代皇帝皇后與大臣之墳墓，得到無數殉葬的寶貝。

桑哥主政四、五年，又因貪汙處死，阿合馬、盧世榮、桑哥三件事如出一轍，三次原戲重演，世祖固然是急需用錢，卻開了元朝官僚貪汙風氣，種下滅亡的種子。

閱讀心得

【第612篇】

元朝與高麗王室聯姻。

英國查理王子與黛安娜的結合，是膾炙人口的佳話。然而，在過去，西方王室婚姻多是爲了家族的福祉，在傳統的東亞與北亞社會中，一般人民結婚，也不是基於兩情相悅，王室婚姻更充滿了政治色彩。

我國西漢時，皇帝經常用『和親政策』做爲重要的外交手段，那多半是在國勢不振卻又面臨強敵時使用。西漢以後，歷代也常用對外族『和親』的政策，而和親的對象都是武力強盛的敵國，皇帝希望成爲對方的岳父，女婿見了岳父，總得客氣三分，所以『和親』是想用『親情』來羈縻外族，其用意是很消極的。

蒙古人的聯姻外族，一向較漢族積極，甚至是建立蒙古大帝國的手段，一方面因爲蒙古人採族外婚，另一方面，則是爲了藉由族外聯姻，增加自身的力量。

我們在介紹成吉思汗的霸業時，不難發現，他每征服一族，幾乎必娶一妻，他的目的是藉由婚姻爲手段，讓這些大大小小的姻族，都成爲他的臣屬。說起來，當然是一種不平等的婚姻關係。

高麗又不一樣，它傳統上是宗族之間互爲婚姻，很少與陌生家族或外族聯姻，這就像中國人說的『親上加親』。元朝以前，中國歷代皇帝常以韓

囍

國女子爲嬪妃，卻沒有中國公主下嫁韓國的紀錄（韓國是第二次世界大戰之後的族號，在此以前，曾用過高句麗、新羅、百濟、高麗、朝鮮等名號）。

元朝以前，中韓關係多半是封貢制度，也就是中國接受韓國的上貢，然後給予韓國君主一個封號，卻不加以兼併，也不干涉其內政，韓國對中國則一直保持著一種『慕華』的態度。

元朝的蒙古人，作風與漢人大不相同，蒙古人有一股宗教的狂熱，認爲自己最偉大，有責任義務，依恃『長生天的力氣』，建立一個世界帝國。

元人不能滿足精神上的天朝上國，他要直接統治臣附國。因此，在高麗先是駐有達魯花赤，繼而設立征東行中書省，有軍隊、屯田與馬場。高麗則必須擔負納貢、助軍、置驛站、輸送糧食的義務。

那麼，元朝與高麗之間的紅線是如何牽起來的呢？

最早是高麗先提出來的請求。元世祖忽必烈征伐日本之時，高麗並未表現全力支持，使得元世祖極爲不滿。世祖曾經舉出成吉思汗邀請西夏幫忙，攻打回回，西夏拒絕，結果，成吉思汗打敗回回，再滅西夏的例子，警告高麗最好要小心。

元世祖對高麗元宗說：『你喜歡打仗，是不是？我們不妨約個地點。』這可把高麗元宗嚇壞了，高麗那裡是元朝的對手，一場戰爭就可能讓高麗滅亡。

其實，當時高麗元宗境遇十分可憐，外有元朝的壓迫，內部又有武臣專政。其中崔氏一門，尤其跋扈，掌政六十年，欺凌王室，元宗只有逆來順受，崔氏之後，更有林衍逼迫元宗遜位。

在這種內外交逼的情形之下，高麗元宗選擇了向元世祖求救，並且向元世祖請求，將一位元朝公主嫁給高麗世子諶（也就是元宗的兒子）。高麗元宗呈給元世祖的表章上很謙卑的說，如果能娶到一位元朝公主，那麼『我這個小小邦國，便萬世有所依靠了。』接著，元宗便先派遣世子到元朝去當人質。

元世祖接到了高麗元宗的請求，立刻派遣大軍，剷除高麗武臣，協助元宗復位，卻不肯馬上答應婚事，直到元宗恭謹的盡到臣屬國的義務，元世祖才答應把最小的女兒忽都魯·揭里迷失下嫁。

但是小公主還太小，才十三歲而已，又等了三年，高麗世子諶才與公主完婚（諶此時三十八歲，早在十餘年前，便已納有嬪妃）。

不久，高麗元宗去世，世子諶返國繼位，是爲高麗忠烈王。

當忠烈王與小公主同車入京時，高麗人民高興得眼淚都要掉下來，彼此互賀：『從此百年不再有戰爭，天下可太平矣！』高麗和元朝的王室婚姻，象徵著高麗對元朝完全臣服，以及元朝對高麗的信任與支持。

從此以後，高麗七個王之中，竟然有五個娶了元朝公主。不過，蒙古公主並非全部都是皇帝的女兒，而是宗室諸王之女，都稱之爲公主，也就是蒙古文中的『別乞』。

蒙古公主不斷嫁給高麗國王。可是，元朝宮廷可沒把高麗公主納爲后妃。雖然元朝時高麗公主以柔媚婉約見長，許多官宦之家，歡喜納高麗美女爲妻妾侍婢，元朝宮中的低級宮女也有不少是高麗人。元世祖卻下令：『高麗女子不可入宮。』於是元朝便沒有高麗女子成爲后妃。

元世祖堅持反對高麗女子爲后妃，原因是蒙古人有優越感，看不起高麗人，不許高麗女子爲后妃是免得『黃金氏族』的血液混雜。

元朝與高麗是不對等的親家，蒙古公主的地位更是高高在上。忠烈王諶在娶小公主之時，早於十四年前已經娶了始安公絪女貞信府主爲妃，而且夫妻伉儷情深。但是父命難違，又爲了國家的利益，只好萬般不情願的赴元朝充當質子，接著娶了年僅十三歲的嬌嬌女忽都魯·揭里迷失。

元朝的小公主一到高麗，忠烈王原來的妃子只有含淚移到別宮，而且與忠烈王遠遠相隔。

蒙古公主不但後來居上，冊爲正宮（相類於中國的皇后），而且建宮建府，十分神氣。後來，薊國公主下嫁給高麗忠宣王，忠宣王已娶有靜妃、趙妃，公主駕到，立即成爲正妃（皇后），也就是說，元朝公主獨佔正位的保障，不管她貌美如西施，或者醜如無鹽，反正，正宮娘娘是當定了。

閱讀心得

【第613篇】

蒙古公主與高麗駙馬。

在上一篇中說到，爲了雙方政治利益，元朝與高麗維持了近百年的聯姻關係。

蒙古公主的背後是強大的元朝力量，因此，就名分而言，不論高麗王是否原先已娶，蒙古公主下嫁，理所當然冊爲正宮。公主所生的王子，由於母親的關係，也必然優先立爲世子（類似中國的太子），不顧長幼順序。

譬如忠烈王娶了元世祖的小公主忽都魯・揭里迷失後，原先貞信府主所生的兒子江陽公年紀雖最大，但因不是公主生的，不許立爲世子。後來，小公主也生了兒子，當然立爲世子，甚至更把江陽公流放到外地，可憐的江陽公，只能怨嘆自己母親不是堂堂公主。

當然，其中也有非蒙古公主所生的世子，但是，這都是因爲蒙古公主沒生兒子，並不違反『公主之子優先冊立』的原則。

在介紹唐朝公主的婚姻時，我們曾經說過，唐朝人對公主敬而遠之，蒙古公主到了高麗，由於是以統治者身分下嫁，氣焰之高更比唐朝公主勝三分。

元世祖的小么女，年紀小，脾氣壞，嫁給高麗忠烈王之後，更是變本

加厲，不但隨便臭罵忠烈王，還會打人——拿起木杖，對準忠烈王，就狠狠的一頓亂擊。

忠烈王是個文弱書生，無法反抗，也不敢反抗，只有一個勁兒的掉眼淚，尤其是憶起當年，與貞信府主夫妻恩愛相敬如賓的甜蜜，不住的搖頭嘆息。

小公主忽都魯·揭里迷失看到他淚漣漣的模樣，更是生氣，她自小熟悉的父兄都是威風凜凜，生猛有勁，幾時見過這樣沒用的窩囊廢。怒由心生，用手指狠狠在忠烈王臉上抓了五道血痕，史書上說，忠烈王只有『涕泣而已』！

接著，小公主要把貞信府主所生的江陽公流放外地，也讓忠烈王心痛極了。江陽公本是忠烈王最疼愛的長子，當他出生時，忠烈王以爲他將繼承王位的。做父親的，沒有能力保護孩子，他是多麼的無奈啊！

事實上，並非高麗國王個個都與忠烈王一般懼內，而是蒙古公主有強硬的後臺，形勢比人強，高麗國王只有被迫低頭。

我們可以舉兩個例子說明：忠宣王娶了元朝的薊國公主，薊國公主性情剛烈，爲人霸道，忠宣王看著便討厭，雖然名分上不能不立爲正宮（皇后），私下裡卻疼愛小鳥依人的趙妃。

爲了這件事，薊國公主大哭大鬧吵過好幾回，忠宣王懶得搭理，反而跟趙妃更親親熱熱。

薊國公主心一橫，便上書給元朝太后，向太后撒謊說：趙妃詛咒公主，使高麗王變心不愛公主了。

元朝太后一看公主的奏章，覺得非同小可，立刻派遣使者到高麗，最後竟然迫使忠宣王遜位，讓高麗駙馬爺領教岳父母的厲害。

另外還有一個故事：高麗忠惠王即位以後，有一天，藉酒裝瘋，輕薄了父親的遺妃慶華公主，慶華公主是元朝的公主，自覺受了羞辱，便向元朝朝廷哭訴，沒過幾個月，忠惠王便在元朝干預下被廢。

在胡人遊牧民族中，前王去世，後王再娶庶母是常有之事，稱之爲『烝報』，漢朝王昭君便先後侍奉單于父子。這個風俗，在高麗宮廷中也常見，忠惠王做夢也想不到，竟然會因此失了王位。

唐朝公主雖然跋扈，還只是撒嬌吃醋耍威風，蒙古公主嫁到高麗，可不一樣，完全是標準女強人架式，朝會、宴饗、巡幸、狩獵、接見使者，公主無不參與。

在朝廷上，公主往往坐在國王上位，神氣的發號施令。公主可以隨心所欲，任免官吏，駙馬爺只好乖乖當應聲蟲。相反的，國王決定了的事情，若是不合公主的心意，公主一聲喝斥，國王最好立刻改口，否則引起岳家干涉，麻煩就大了。

中國戲劇之中，有一齣很有名的『郭曖打金枝』，郭曖是唐朝大將郭子儀之子，娶了昇平公主，公主驕縱，郭曖氣不過，打了金枝玉葉的公主，公主回家哭訴，做爸爸的唐代宗不肯護短，公主的氣焰才稍微收斂。

元朝老丈人可不是這般明理，不論是非黑白，完全站在公主這一邊兒，而且不遺餘力助長公主聲勢。

西元一二二七年，有人誣告高麗征日名將金芳慶謀叛蒙古，元世祖下令，公主與高麗國王一同問案，可見元朝公主對高麗的政事無不干預。

中國傳統社會裡，認爲婦女要講究三從四德，男主外，女主內，尤其是乖順的宋朝女子，若是看到元朝公主的咄咄逼人，眞要大吃一驚，蒙古公主畢竟是塞外蒙古血統，與漢族大不相同啊！

至於高麗女子及我們今天看到的韓國女人都是嫻靜溫順，韓國男子比較剽悍，社會風氣是男尊女卑。不過，遠在十三世紀，韓國早期仍有母權社會的痕跡，高麗前身的新羅便有眞德、善德、眞聖三位女皇主政。所以蒙古公主參政並不奇怪。

總而言之，蒙古公主與高麗駙馬的結合，完全代表政治利益，雖然像童話故事的結論一樣：『王子與公主結了婚』，但卻沒有童話裡慣有的最後一句：『過著幸福快樂的生活。』

閱讀心得

【第614篇】

高麗駙馬的地位。

在上一篇之中，我們說到高麗駙馬娶了蒙古公主，忍辱負重，委曲求全，小心翼翼的伺候著嬌貴的公主，日子眞是不好過。那麼，高麗駙馬是否毫無所得？倒也不見得。

高麗當初眼巴巴的求娶公主，目的是希望藉著駙馬爺的地位，抬高自己在蒙古帝國世界中的地位，就這一點而言，高麗得到了預期的效果。

在十三世紀的蒙古社會，仍然保有母權社會的遺跡，女權高張，婦女可以參與家中及政治上的決策，成吉思汗的母親、妻子都極有份量，在忽里勒臺的選汗大會之中，后妃與公主也同時參加立君大議。

公主既然地位尊崇，駙馬爺就夫以妻貴，也自然抬高了身分地位，得以姻親的身分，加入『黃金氏族』。例如忠烈王在娶了公主之後，元世祖便慷慨的賜予『駙馬高麗王印』。

在攀這門親事之前，高麗只不過是元朝的外藩之一，元朝根本不把高麗放在眼裡。高麗元宗在一二七〇年，朝見元世祖，曾經恭謹的請求會見太子眞金。

元世祖把臉一板，冷冰冰的拒絕：『你只是一國國王而已，見朕早已足夠！』

可是高麗娶了元朝公主，以後上貢不只是外交行爲，並且是親家往來，意義就大不相同了。

高麗元宗當初求見太子不得，因此才動了腦筋爲兒子娶一門元朝媳婦，這一著果然奏效，忠烈王娶了公主，帶著公主歸寧時，元世祖的妻子，也就是忠烈王的丈母娘，派了皇子、皇女、王妃一大群貴族，浩浩蕩蕩赴郊外迎接忠烈王。

元世祖見了忠烈王之後，也以岳父大人的身分，好好的訓了他一頓，該如何『御使群臣』，如何『盡子婿的孝道』，最重要的，是如何『好好對待公主』。

小公主有父王撐腰，格外的愛使性子。不過，也由於小公主的面子大，元朝上上下下對姑爺也不能不另眼相看。

西元一三〇〇年，元成宗賜宴，忠烈王竟然高居第四位。高麗人都興奮極了，高麗史家形容當時是『寵眷殊異』。更讓高麗人樂的是，高麗駙馬竟然能與蒙古宗王駙馬一般，參加忽里勒臺，選立大汗，這可眞是非同小可。忠烈王由於選出成宗有功，成宗還特別下詔，讓忠烈王得以『乘小車，至殿門』。

高麗攀龍附鳳的用意，除了拉攏蒙古元朝之外，也是爲了壓抑國內權臣，在這方面，徹底發揮了效果。同時，蒙古駐前高麗的使者，過去狗仗人勢，總是頤指氣使，既然高麗人成了元朝駙馬，態度爲之一變。

例如元朝使節黑的一向倨傲，架子大得很，高麗元宗見了他，連大氣都不敢出，後來，元宗爲兒子娶了元朝公主，在一次宴會之中，元宗依照慣例，敦請黑的上坐。

不料，黑的居然客氣起來，他搖搖手道：『不成，王乃駙馬大王之父也，何敢抗禮，王向西，我等北向，王南面，我等東面。』

高麗史書還記載了一段故事：一二八一年忠烈王與元大將忻都商討軍事，忻都不敢與忠烈王抗禮，高麗『國人大悅』。高麗史反反覆覆記載了座位問題，因爲禮儀也正表示了元朝與高麗之間的微妙關係。

此外，駙馬爺偶爾向老丈人有所請求，老丈人看在女兒的面子上，往往也會答應。忠烈王向元世祖抱怨蒙古將吏暴虐之後，元世祖馬上加以處理。所以高麗駙馬雖然要長期忍受公主的專橫，到底還是取得了實際上的一些好處。

元朝與高麗之間的長期聯姻，也造成了高麗王室的蒙古化，例如：自忠宣王至恭愍王都取了蒙古名字，也學著留胡髮。中國自古以來，以衣服頭髮做爲文明與野蠻之別，韓國自新羅文武王之時，便採用唐朝衣冠文物。忠烈王從中國回到高麗時，已改易胡髮，高麗人見到他的怪模樣，有人嘆息，有人哭泣。

此外，高麗也行胡禮，奏胡樂，尤其是學著狩獵，並且也學著設有鷹坊，訓練老鷹，供畋獵之用。

不過，蒙古文化對高麗王室雖有相當影響，高麗主要是因爲懼怕元朝，不敢不實行蒙古化，與當初『慕華』心悅誠服的心理大不相同。

所以在蒙古帝國沒落，元朝的勢力衰退以後，蒙化的影響便一天比一天淡了。

恭愍王之時，沿用元制，辮髮、胡服、坐在殿上。監察大夫李衍宗上諫：『辮髮胡服，非先王之制，陛下不用效法。』恭愍王笑道：『說的也是。』立刻解開辮子，換下胡服，也坐在褥子上了。

總而言之，高麗與元朝的王室聯姻，不是平等的婚姻關係，也沒有絲毫感情基礎，只是忠實的反映了蒙古人的世界觀與外交政策，與中國歷代對韓國政策大不相同。

閱讀心得

【第615篇】

元朝輕視讀書人。

在中國傳統社會裡，以儒士爲中心的知識份子，也就是通稱的士大夫或士人，是最受尊崇的身分。

中國人一向崇敬讀書人，即使是南北朝時期的胡人，遼金時代的契丹人、女眞人，他們統治中國時期，依然是『萬般皆下品，唯有讀書高』，連後來如滿清，也莫不如此，只有在元代，中斷了這個傳統。

中國古代社會把百姓區分爲『四民』，也就是四類的人民，這就是

『士、農、工、商』。士為四民之首的說法，是春秋時代管仲提出來的，在漢武帝罷黜百家、獨尊儒術以後，以讀儒家經典為主的士人，其地位更為崇高。

歷代帝王開基創業，大多憑藉武力，但是，得到天下以後，不能永遠騎在馬背上打打殺殺，必須下馬，拿出一套辦法掌理國事，這就是古人常說的：『馬上得天下，豈可馬上治天下。』為了國家的長治久安，歷代君王不但給予在朝官員種種特權，對於在野的讀書人，也有許多保障。

尤其是到了宋朝，士人成為最受羨慕的身分，在政治前途上，科舉保障了讀書人的出路。在經濟上，不但官員之家，可以免除徭役，在學的太學生也可免除，並且享有膳宿的優待。

此外，宋朝繼承著古來『刑不上大夫』的傳統，也就是官員涉案時，衙門問案，對官員不用刑、不打屁股、不挨板子等等。總而言之，在宋朝，讀書人既享尊榮又前程遠大，成爲衆人所羨慕的對象。

但是，到了元朝，讀書人地位一落千丈，眞是不能適應，著名的史學大師錢穆先生曾經在他的名著《國史大綱》之中說過：『大體當時的社會階級，除卻貴族、軍人外，做僧侶信教最高，其次是商人，再次是工匠，又次是獵戶與農民，而中國社會上自先秦以來佔重要位置的士人，卻驟然失卻了他們的地位。』

元朝讀書人的地位，到底低到什麼程度？根據南宋遺民鄭思肖的遺著，元人依職業分爲十級：一官、二吏、三僧、四道、五醫、六工、七獵、八民（農民）、九儒、十丐。儒生的地位只比乞丐高一級。

與文天祥同榜進士謝枋得，在宋朝滅亡以後，堅持不做官，他曾經寫信給程鉅夫說：『宋室孤臣，只欠一死，枋得之所以不死，因爲有九十三歲老母在堂。』後來，他被福建參政知事魏天祐執往燕京，仍不屈服，絕食而死。他說得更是尖刻，他說，元人依職業分爲十級：一官、二吏、三僧、四道、五醫、六工、七匠、八娼、九儒、十丐。當妓女的比起儒生還要高上一級呢！

九儒十丐之說，當然不免過分加油添醬一些。但是，讀書人地位一落千丈，原是可以理解的。讀書人多是漢人，元朝君主把整個征服的民族，一共分爲四等，蒙古民族爲第一等，第二等爲色目人，色目是指蒙古以外的西域諸族（如回回、乃蠻等等），第三等是漢人，漢人指北方黃河流域的中國人，與契丹、女眞、高麗、渤海等人，最末一等是南人，南人指的是長江流域的宋人。

蒙古人是征服者，當然地位崇高，在蒙古人心目之中，色目人是僅次於蒙古人的。

有一回，元太宗窩闊臺看漢人表演皮影戲，戲中的蒙古人騎兵在馬尾上綁著一個人，踉蹌的被拖在地上。

太宗順口問道：『這馬尾巴上綁的是什麼人？』

演皮影戲的師傅答道：『回回。』

一聽是回回，太宗立刻勒令停演，並且把演出者叫到跟前，板著臉教訓道：『你是漢人嗎？你怎麼可以侮辱回回人？』

接著，太宗又派人搬來一些波斯（即伊朗）與漢地的寶物放在一塊兒，對演出者說：『你們漢地的寶物，那能比得上回回，我國回回貴人之家，至少有你漢人奴婢數人，你們漢人貴族之家，能有一個回回人奴婢嗎？你莫非不曉得，成吉思汗有令，殺一個回回人，罰黃金四十巴里失，殺一個漢人只罰一頭驢嗎？你是漢人，怎配侮辱回回人？』

由此可知，連皮影戲中的回回影子都不能侮辱，眞實的社會之中，漢人地位當然連一頭驢都不如了。

再如在元史董文用傳記載，蒙古長官高人一等，同列的漢官對他們不敢仰視，説話的時候，非要跪下來啓稟，彷彿面對皇帝一般。獨有董文用可以平起平坐與蒙古長官講話，這件事太稀奇，因此在元史中，特別記了一筆。

同時，蒙古軍人普遍的俘虜漢人、南人爲奴婢，如阿里海牙爲荊湖行省丞相，俘劫了三千八百户爲奴，稱之爲『驅口』，這些奴隸生活十分悲慘。

至元十八年，元朝政府又下令，以江南民户分賜勳戚諸王爲奴隸，諸王受賜者，少者一、兩萬户以上，多至十萬户者，勳臣則自數千百户多至數萬户者不等。這些奴户在重重的壓迫之下，過着暗無天日的生活。

閱讀心得

【第616篇】

元代的色目人。

元朝把人分爲四等，除了蒙古人以外，地位最高的就是色目人，色目人包括了畏兀兒族（維吾爾族）、乃蠻族、回回族、欽察族等，總共有三十餘族，又稱之爲『諸國人』，現在多數成爲中華民族的一部份。

成者爲王，敗者爲寇，蒙古人掌政權，地位最高，沒有話説，但是色目人神氣活現，卻讓漢人相當不是滋味，而且色目人一切作風，都讓漢人看著極不順眼。

蒙古人爲什麼垂青色目人？這是有道理的，蒙古以武力建立一個大帝國，而且企圖征服世界，他本身的人員兵馬有限，當然要吸收其他部族，擴充力量。

色目人與蒙古人生活條件相同，以遊牧爲生，擅長於騎馬，尤其是中亞及北亞草原地區的人民，個個驍勇善戰，馬匹強健有力，自然而然被蒙古人相上。這和人與人之間交朋友，總是尋覓性情相投談得來的道理相同。

好戰的蒙古人，欣賞好戰的色目人，相形之下，中國漢人文縐縐的，終日在農田耕作，看著便討厭，而且對軍事毫無作用。窩闊臺時代，大臣別迭甚且建議：『漢人留着沒用，不如全部殺光，然後再把田地闢爲牧場。』

別迭的建議，窩闊臺也覺得不無道理，虧得美髯公耶律楚材極力反對，

耶律楚材說：『把漢人殺光太可惜，不如男耕女織，生產稻穀布帛，供養軍隊。』這個『利誘』的主張，才使窩闊臺看在『軍需』的份上，勉強答應『先選十個地方試試看，若是不成，再闢爲牧地也不遲。』

元朝政府不但在感情上偏向色目人，種種制度上，也給予色目人特權。譬如冊封王爵一事，整個元朝，只有在元順帝時代，快要亡國的時候，有一個名叫王保保的漢人封了河南王。色目人封王的可就多了，最著名的四大世家之中，每一個家族都不只一位王爺。

再說官位，世祖之後，順帝之前，沒有一個漢人當過丞相，色目人丞相則可以排一張表。

此外，科舉考試之中，蒙古人色目人列爲右榜，漢人南人列爲左榜。

蒙古色目考兩場，漢人南人要考三場，兩場三場無所謂，但是試題難易差別甚遠，若有蒙古人色目人願意應考漢人南人的科目，考取之後，官加一等。

以上種種差別待遇，已經讓漢人爲之忿忿不平，再加上色目人殘暴嗜利，更讓飽受儒家思想薰陶的漢人看不過去。

元朝大軍之中，色目人組成的欽察軍、阿速軍最爲勇猛善戰，同時也最爲殘暴，紀律壞到了極點。

蒙古人重視商業行爲，可是蒙古人本身不經商，多半假回回之手行之。回回商人遍及全國各地，生活極爲奢侈，漢人腦中仍然根深柢固『士農工商』，商爲四民之末的想法，看着搖頭嘆息。而且回回商人總是仗勢欺人，更讓漢人痛恨。

元世祖曾經問李治：『可用回回人嗎？』李治回答：『漢人中有君子有小人，回回之中也有君子小人，但是回回貪財嗜利，謹慎廉潔的少。』

蒙古人本身不擅理財，卻喜歡任用回回理財，桑哥、阿合馬都是例子，漢人不會理財，尤其受到孟老夫子『何必曰利』的觀念影響，一向鄙視理財，益發的瞧不起回回。

當然，漢人本身也有缺點，往往老於世故，圓滑虛偽，又最愛面子，回回不懂這一套表面工夫，往往一語戳破漢人的面子，害對方下不了臺，他們不明白漢人下臺的微妙心理，總是得罪了漢人還完全沒有感覺。

色目人與蒙古人一般，愛好打獵，這是所有遊牧民族與生俱來的愛好，也是漢人深惡痛絕之處。

在介紹馬可波羅遊記時，我們說過，世祖出獵時，后妃、皇子、公主、駙馬、大臣都浩浩蕩蕩的隨行，有如大軍作戰一般壯觀，再加上成千上萬的野獸，在被人追逐之下，豕突狼奔，不曉得會踐踏多少農作物，除皇帝外，分鎮各地的諸王、駙馬、將帥都喜歡打獵，影響農耕，自不在話下。

此外，漢人多半保守、懼變，也往往與色目人發生衝突。元朝凡是提倡改革之事，例如變更鈔法、整頓稅政、整理田籍、改高麗爲行省等等，都是蒙古人色目人的主意。

漢人儒臣每次一聽到改革，先不管事情眞相如何，也不問有沒有可行的辦法，總是一味的排斥。

例如順帝提議改革鈔法，呂思誠堅決反對，大聲斥責別人不通古今，吏部尚書偰哲篤氣虎虎的反問：『我等計策不行，公又有何計策？』

思誠回答得妙：『我有三不策，行不得，行不得，行不得也。』自己沒有一套辦法卻又反對別人提出的辦法，這正反映出當時漢人的食古不化。

總而言之，蒙古人認爲國家最可貴的人民是騎兵，最可貴的土地是牧場，所有觀念與漢人格格不入，所以很難和睦相處。

閱讀心得

【第617篇】

月餅的由來。

明太祖朱元璋父親的名字叫朱五四，十分好笑，朱元璋本來叫朱重八，也很好笑。原來元朝政府有規定，漢人無職的小民，連名字也不准取，只能用父母或祖父母的年齡做爲小寶寶的名字。

例如明朝開國元勳湯和的父親是湯七一，常遇春父親則叫常六六，因此，滿街都是張五四，李三八。中國人一向在乎取名字，如今人人頂着如此好笑的名字，實在是相當可悲。

此外，蒙古人對漢人的規定還多着呢，例如漢人之家不得藏匿兵器，不得私造兵器，甚至連鐵尺、鐵骨架、鐵柱亦不得私藏，據說連菜刀也五家合用一把。法令還規定漢人不准習武藝，不准射獵、祭神、宴會，不准夜間行路，不准點燈……。

蒙古人初起之始，是沒有什麼法律的。當成吉思汗崛起，一切都依原始習慣，無所謂法條，凡是盜賊、殺人、奸淫等都是立即處死刑，簡單明快。

成吉思汗曾經對他的第一任斷事失吉忽禿忽說：『如有盜賊、詐僞之事，你懲戒，該殺的殺，該罰的罰。』他即位第六年以後，也頒佈了簡單的法令：『出軍不得妄殺，刑罰重罪處死，其他量情打板子。』

窩闊臺即位，禁止地方任意執行死刑，太宗時，又頒佈若干朝會的諭令，直到元世祖忽必烈即位，才逐漸有了正式的法律，多半沿襲唐朝宋朝的制度。

不過，其中有一點十分特殊，以前笞杖之刑，多是打二十下、三十下，到了元朝，以『七』爲終數。最輕的罪，打六十七大杖，較重的分別爲七十七、八十七、九十七、一百零七，一共分爲五等。

爲什麼以七爲終數，據説是元世祖起了仁慈之心，所以他對大臣説：『天饒他一下，地饒他一下，朕饒他一下。』這樣一共饒了三下，應該是好事，結果，笞刑從原來的最兇的不過打了一百板，現在卻要多挨七板，一百零七板。

元朝法律雖然訂了，法律之前卻是人人不平等，例如徵馬，漢人與南人畜養的馬匹全部徵用，一匹也不留，色目人只徵三分之二，蒙古人則一匹也不徵。

又如漢人、南人與蒙古人、色目人互毆，漢人、南人只准挨打，卻不許還手。若是漢人、南人打死了蒙古人、色目人，不用說，當然是死刑。蒙古人、色目人殺了漢人、南人，只出罰金而已。

蒙古人對番僧又有另一套辦法，僧人除了犯姦盜殺傷人命重罪之外，規定寺院可以自行了結，等於宣佈僧人可以無罪。甚且還有『毆打西僧者，砍斷手，背後辱罵西僧者，截斷舌頭』的規定。總而言之，元朝的法律雜亂無章。

為了保障蒙古人色目人的特權，凡是蒙古色目官吏犯罪，漢人法官必須迴避，由蒙古法官審理；漢官犯罪，蒙古色目法官則有權審理。

審案之時，由於蒙古色目人多半不通漢語，彼此之間又牽出許多誤會。元世祖雖然曾經推行漢化教育，畢竟是失敗的，漢人重禮教，繁文縟節甚多，也讓蒙古人認為漢化教育困難。

例如元文宗親祀天地社稷宗廟，禮儀使小心謹慎，把一切禮節寫在象笏上，免得忘掉，其中提到皇帝，不敢直言，畫兩個圈圈代替。這種文字上的忌諱，我們今天還有，中國人認為直書父母長官的名字，都是大不敬的。

文宗那懂這一套，他偶然看到象笏，看到兩個圈圈，仰首大笑：『這是朕嗎？』當他把象笏還給禮儀使時，眼淚都要笑出來了。

法律不外人情，蒙漢互不了解人情，當然法制一片紊亂。

法制之外，官制也沒有章法。

元代的官員，武官多半是世襲，文官大半是蔭補，不論世襲與蔭補都是依靠家庭背景，也就是所謂『跟腳』，與學問完全扯不上關係。凡是在蒙古建國、伐金、滅宋過程之中立下汗馬功勞的蒙古人色目人家庭，便是大跟腳之家，世世代代蔭襲特權，壟斷了五品以上的職位，尤其是成吉思汗的侍衛（怯薛）更是大跟腳中的大跟腳。

成吉思汗曾經說過：『比較在外邊十戶的那顏（即排頭，十人之長）們，我的護衛在上，比起外面百戶、千戶的那顏們，我的護衛在上，凡是在外的千户與我的護衛同等比肩，與我的護衛鬥毆，一律處罰在外的千户。』

成吉思汗的觀念中，他的侍衛最大，享有最高的特權，也要保障侍衛後代的特權。

漢人在法律地位沒有保障，宦途之路又阻塞的情形之下，心情十分苦悶。蒙古人且規定每二十户人家，由一個蒙古人看管，這看管漢人的稱爲甲長，甲長的一切生活都由二十户居民供應，使漢人苦不堪言。

於是，有人想出一個法子，做一個甜甜圓餅，分贈大家，每個圓餅中間，夾了一張紙條，上面寫着『八月中秋吃月餅，大家齊心殺韃子』，於是便在八月中秋，合力殺死蒙古甲長，有人說這就是月餅的由來。

閱讀心得

【第618篇】

趙孟頫的仕宦生涯。

提起趙孟頫，許多人馬上想到他與妻子管道昇伉儷情深，尤其管道昇那一首『我儂詞』——你儂我儂，忒煞情多。譜成歌曲以後，更是膾炙人口。

趙孟頫，字子昂，別號松雪道人，我們現在看到的字帖，不論《趙子昂行書集》、《趙松雪小楷靈飛經》、《趙松雪蘭亭十三跋》等都是趙孟頫留下來的書法。

他是宋太祖趙匡胤的十一世孫，生於宋理宗寶佑二年，趙孟頫雖然生於宋代，可是，在他二十三歲的時候，宋朝就滅亡了。他活到六十九歲，嚴格說起來，應該算是元朝人。

趙孟頫的祖父，官拜太常禮儀院使，並封吳興郡公，父親曾任集賢大院士，都是極爲風雅的讀書人，趙孟頫在這樣的環境薰陶之下，使得他很小的時候，就顯露了藝術上的才華。

趙孟頫啓蒙得早，而且歡喜讀書，具有過目不忘的本事，棋琴書畫，樣樣在行，當他十四歲的時候，因爲父蔭（所謂蔭，是古代貴族官僚子弟由於祖先的蔭庇而得到官位），他開始做了一個小官。後來，調任眞州司戶參軍。可惜過了沒有多久，宋朝滅亡，他便居家讀書、畫畫，準備做個山

林隱士，自此不過問人間世事。

然而，事與願違，許多事非一己所能掌握，至元二十三年，元朝的一位侍御史程鉅夫，奉了元世祖詔命，到江南尋訪宋朝遺留下來的傑出人才，第一個就找到了家世、學問都是一流的趙孟頫。

趙孟頫無可奈何，只好晉見元世祖。元世祖見到趙孟頫第一眼，立刻就喜歡他了，因爲趙孟頫實在漂亮，身長玉立，風度翩翩，腹有詩書氣自華，元世祖以爲自己看到了神仙。

元世祖與趙孟頫隨意交談幾句之後，更被他的軒昂氣度傾倒，簡直有點兒著迷，立刻對趙孟頫說：『來，你以後就坐在右丞葉李的上面。』

葉李一聽，臉上血色全無，又不敢違抗，只好期期艾艾地說：『這樣不太合適吧，趙孟頫是宋朝宗室子弟。』

『那有什麼關係？』元世祖絲毫不以爲意。

趙孟頫這時眞是進退兩難。站在中國讀書人的立場，當貳臣（在兩個王朝做官的臣子）是一件羞辱的事。可是，若不答應元世祖，馬上會遭來殺身之禍。再說，趙孟頫是何等玲瓏剔透的人，他自然察覺到元世祖欣賞他，或許，能利用這一點，爲漢人爭取些許好處。於是，趙孟頫謝過元世祖後，便正式成爲元世祖的左右。

當時，元朝正要成立尚書省，元世祖對趙孟頫說：『你爲朕擬一篇詔書頒佈天下。』

趙孟頫才思敏捷，不一會兒的工夫就寫好了，元世祖接過來一看，頻頻讚美：

『你把朕心裏想說的話都寫出來了，寫得好。』從此以後，世祖對趙孟頫更加信任。

右丞葉李雖然曾經嫉妒趙孟頫，趙孟頫倒沒放在心上，過了不久，還幫了葉李一個忙。

有個叫王虎臣的人，上書告發平江路總管趙全不法，元世祖命令王虎臣前往調查，葉李上奏，說是不該派王虎臣去，元世祖聽不進去。

趙孟頫委婉地解釋道：『趙全固然應當接受審問，然而，王虎臣以前鎮守平江路，經常強買人田，又縱容家中賓客不法，趙全爲此與王虎臣發生爭執，鬧得相當不愉快，雙方芥蒂很深。這一回，王虎臣逮住機會報仇，必然全力陷害趙全，就算是趙全眞的做得不對，人家也會懷疑王虎臣是公報私仇。』

趙孟頫這番話說得合情入理，元世祖就改派其他人去調查。

趙孟頫與葉李之間，算是有個愉快的結果，但是他與桑哥卻始終格格不入。

元世祖有兩大基本政策，一是政治上強力控制，一是經濟上多方羅掘，並且先後找了阿合馬、盧世榮、桑哥三大聚斂之臣爲政府弄錢。

至元二十四年，桑哥擔任副宰相，那時因爲『中統寶鈔』（元世祖時發行的紙幣）貶值，無法挽救，桑哥建議改爲發行『至元寶鈔』，一方面爲政府開闢財源，一方面也自己弄錢。

鈔票不值錢是相當複雜的經濟問題，不是單靠嚴刑峻法能夠奏效。但是，桑哥一貫採用蠻幹的辦法，凡是地方官吏推行至元寶鈔不力者，普遍加以笞責（就是打板子），或者奏明朝廷，予以免職查辦。

趙孟頫當時擔任兵部郎中，也奉派去江南調查至元寶鈔實行的情形，趙孟頫原先就反對這件事，此行去了一趟江南回來，更加同情江南百姓受害之深和地方官推行至元寶鈔實際上的困難，所以從頭到尾，沒有打過一個人的屁股。桑哥知道以後，大為不悅，於是，積極找尋報復的時機。

沒多久，機會來了，桑哥勤快，每天鐘初鳴即端坐尚書省中。他規定，凡是遲到者，就要挨板子。

有一次，趙孟頫來晚了，斷事官喜孜孜地報告，該打趙孟頫的屁股了。

趙孟頫十分委屈地到右丞葉李前面訴苦：『古者，刑不上大夫，這是爲了要讓士大夫養其廉恥，敎之節義。如果打士大夫屁股，是汚辱士大夫，同樣也是汚辱朝廷。』

桑哥也覺得自己過分一些，趕來道歉，以後打板子的刑罰，只用在胥吏（古代掌管案卷、文書的小吏）以下的低級官員。

過了三年，趙孟頫調任集賢直學士，又與桑哥發生了衝突。

至元二十七年，北京發生大地震，地殼陷落，黑沙水湧出，死傷高達數十萬人，桑哥還忙着徵稅，尤其是江淮一帶，民不聊生，許多人只好一死了之，或者逃亡到山林裏去當強盜，眞是官逼民反。

趙孟頫眼看這樣下去不得了，他上書請求世祖，蠲免天下尚未徵收的錢糧賦稅。

（所謂蠲免，蠲音捐，除去之意，蠲免是國家對於人民，免除應納的田賦徭役。）

桑哥知道了，大爲震怒道：『這件事必然不是聖上之意，當另有謀主。』

趙孟頫清楚桑哥的話是針對他來的，他婉言解釋道：『凡是未繳納錢糧的人多半是死了，你想抽稅也抽不到了，假如不及時下詔蠲免，日後言官追究起來，奏稱尚書省把數千萬錢穀吞了，這個責任，丞相承擔得起嗎？』

桑哥一時爲之語塞，也就不再爭辯。

趙孟頫一直是世祖身邊的紅人，有一回他在宮牆外騎馬經過，由於道路狹窄，一不小心，連人帶馬都掉到護城河裏去了，元世祖聽到這消息，特別下令把宮牆往西移了兩丈多。世祖又聽說趙孟頫家裏窮，立刻賜鈔五十錠。

元世祖對趙孟頫另眼相看，當然惹得其他人眼紅，趙孟頫爲了自保，請求外調。在至元二十九年，趙孟頫出任濟南路總管府事。在濟南任上又做了一件好事。

有個在鹽場做事的小工名叫掀兒，受不了艱苦的工作，有一天半夜脫逃，掀兒的父親不曉得自那兒弄來一具屍體，假冒掀兒，硬說是同在鹽場的夥伴殺了他的兒子，非要這個同伴償命。

趙孟頫認爲事有蹊蹺，把案子暫時擱置，過了一個月，掀兒自己跑回來了，案情自然眞相大白，地方上的人都誇趙孟頫神明，差點兒冤枉好人。

總之，趙孟頫雖然擔任元朝官員，可是我們看他所做所為，倒還表現出中國讀書人的良心。

閱讀心得

【第619篇】

趙孟頫、管道昇你儂我儂。

趙孟頫在仕途上，雖然官運亨通，但是爲元朝政府做事，畢竟非心之所願，精神上極爲苦悶，於是他把許多時間、精力、感情投注於書畫之中，獲得極大的成就，在中國的藝術史上，享有盛名。

趙孟頫的書法，起初是學習三國時代的魏繇、晉朝的王羲之，繼而自成一家，無論篆、籀、隸、草書、小楷都獨步古今。

當時曾有天竺（古印度）高僧，效法唐三藏赴西天取經的精神，冒着數萬里的風險，含辛茹苦，長途跋涉，前來求取趙孟頫的書法。

趙孟頫見到天竺高僧，也十二萬分地感動，特別精挑細選了各式書法，慷慨贈予，高僧大喜過望，謝了又謝，帶回天竺當國寶收藏。

書法之外，趙孟頫在繪畫上的成就，也是堪稱一絕，明朝大家董玄宰說：『有唐人之致去其纖，有北宋人之雄去其獷。』意思是說，趙孟頫的畫，有唐朝畫的風格，卻去掉了柔弱的毛病，有北宋繪畫雄偉的氣象，卻沒有粗野的氣息。

他曾經畫過一幅『圓社圖』，描寫元人踢球遊戲，圖中所有人物的焦點都集中在圓球上面：有人正舉起脚想去踢球，有人聚精會神等著球拋過來，也有人虎視眈眈想去搶球，整個畫面活潑生動，表現出一瞬間的快門，

你儂我儂忒煞情多
情多處熱如火
把一塊泥
塑一個我

相當不容易。

趙孟頫還畫過一幅『鬥茶圖』，爲人們所稱道，他把民間比賽吃茶，兩人賭氣的神情畫得十分鮮活，畫中的風爐、竹架、茶壺、茶盞看來也頗爲有趣。

他尤其擅長於畫馬，相傳他在畫馬之前，曾經長時期地研究馬，他蹲在地上，對著馬仔細端詳，然後自己摹仿馬的前踢、後竄、長嘶的種種姿態，用來體會馬的性格，肌肉用力的方式，可見功夫之深。

當時另一位畫家郭佑之讚美趙孟頫，『旁人把趙孟頫比李公麟，其實他的成就，遠遠超過韓幹之上。』

趙孟頫自己也以畫馬自豪，他說：『我自小愛馬，也能把馬的特性表現出來，別人說我比韓幹畫得好，那是過譽之詞，不過，我自認能與李公麟比一比。』

趙孟頫頗有文人氣節，當宋朝滅亡時，他一貧如洗，當了元朝官後，仍然兩袖清風，元世祖知他貧窮，常賜以銀錠、貂鼠衣，他總是急忙退還。有一回，有個道士登門求字，下人通報：『門外兩位居士求見相公。』

『什麼居士？』趙孟頫老大不悅道：『是香山居士，還是東坡居士？這些吃素的風頭中，個個自稱居士，別理他！』

趙孟頫的妻子，也是他的紅粉知己管道昇款款步出，婉言相勸道：『你且別管他是不是居士，以前王羲之也有寫字換鵝的佳話，人家找你寫字，我們賣字謀生也是一件雅事啊。』

趙孟頫這才臉色轉爲溫和，喚僕僮端茶待客。

管道昇，字仲姬，是一位有文才、有氣質的婦女，她曾寫過一首詞：

『人生貴極是王侯，
浮利浮名不自由，
爭得似
一扁舟，
弄風吟月歸去休。』

她善畫墨竹梅蘭，筆意清絕。夫妻兩人常分據一張大書桌旁，管道昇畫墨竹，趙孟頫爲她的畫題上修竹賦，二人珠聯璧合，不知羨煞了多少人。

管道昇有個愛好，歡喜在月夜，注視着紙窗上風吹花枝搖曳的情景，捕捉靈感，等到心中境界成熟，便提筆作畫，一揮而就。

趙孟頫有時也夜半時分，披衣坐起，陪着夫人共賞美景，然後伴她作畫。

管道昇最擅長的就是畫竹，她的竹子一如其人，十分清麗，有天，她與趙孟頫商量：『我想把畫竹之法寫下來，你看可好？』

『當然是好事。』趙孟頫立刻贊成，並且提出種種意見，還搬來許多參考資料幫忙，他對管道昇的事，一向熱心萬分，於是管道昇把她畫竹的心得寫了下來，這就是有名的《墨竹譜》。

管道昇的《墨竹譜》寫得十分細膩，不但畫幹、畫節、畫枝、畫葉都有詳詳細細的說明，就是運筆的輕重緩急，用墨的乾濕濃淡，佈局的高低疏密、陰晴雨雪的變化也不厭其煩的介紹。

她每寫一小段落，立刻送給夫君指正，趙孟頫是第一個讀者，也是最有鑑賞力的老師，他會把自己作畫的心得，一五一十的指點管道昇。這小小的《墨竹譜》，其實是他夫妻愛情的結晶。對後代畫竹子的人，是一本不可多得的指引。

趙孟頫本人也是文章高手，他的詩文清邃飄逸，讓人家讀了以後，有飄飄出塵之想，當然，他的每篇大作完成，管道昇是第一個忠實讀者。

趙孟頫夫婦，都有不凡的藝術修養，淡泊名利，人生觀相同，在中國繪畫史上，夫婦齊名，同時他們倆的相知相愛，更是千古佳話，就像管道昇寫的《我儂詞》：

『你儂我儂，忒煞情多，情多處熱如火，把一塊泥，捻一個你，塑一個我，將咱兩個，一齊打破，用水調和，再揑一個你，再塑一個我，我泥中有你，你泥中有我，與你生同一個衾，死同一個槨。』

人世間能有這份愛情，多美！

閱讀心得

【第620篇】

儒林外史中的王冕。

說起王冕，大家都不陌生，小學國語課本裏就有一篇『王冕畫荷花』，想來是根據儒林外史第一回改寫而成的。

儒林外史是清朝吳敬梓所寫的諷世小說，他用客觀的態度，描寫當時社會中的黑暗與傷痕，在書中盡量暴露人民對於科舉功名的虛榮心理。

吳敬梓心目之中的理想人生是清閒自在、有學問、有道德、能夠做一點自己想做的事，而不是被功名利祿牽着鼻子走，他這份脫俗的想法，一般人不能了解，連他太太也經常嘲笑他笨。吳敬梓就把這份懷抱，藉著小說表達出來。

吳敬梓在儒林外史一開頭，他便說道：『人生富貴功名，是身外之物，但世人一見了功名，便捨著性命去求它，及至到手之後，味同嚼蠟，自古至今，那一個是看得破的。』

不過，吳敬梓說：『元朝末年，也曾出了一個嵌崎磊落的人，這人姓王名冕。』在他筆下，王冕是這樣的一個人：

他七歲時死了父親，母親做些針線，供他到學堂裏去讀書。王冕十歲的時候，他母親命他去幫隔壁姓秦的人家放牛，每月也可以得幾錢銀子貼補家用。王冕的母親畢竟一個寡婦人家，只有出去的，沒有進來的，撐不

下去了，才要王冕去做一個小工。

從第二天起，王冕便每天到秦家放牛，黃昏時候，再回家陪母親歇宿。王冕聚了一兩個月的點心錢，便去買幾本舊書，把牛拴了，自己坐在柳樹蔭下看書。

彈指過了三年，黃梅時節，一陣傾盆大雨過後，他見湖裏十來枝荷花，苞子上清水滴滴，荷葉上水珠滾來滾去，王冕看呆了。自此，聚的錢不買書了，託人向城裏買些胭脂鉛粉，學畫荷花。初時畫得不好，三個月後，那荷花精神、顏色，無一不像，只多著一張紙，就像是畫裏長的，鄉人見他畫得好，也有拿錢來買的。到了十七、八歲，王冕不在秦家做工了，每日畫幾筆畫，讀一讀古人的詩文，帶著母親到處兜兜風。

有一天，諸暨縣一個姓翟的買辦，帶來知縣給的十二兩銀子（其實是二十四兩，翟買辦剋扣了十二兩），央求王冕畫二十四幅花卉。王冕原先不願意，但是他以前放牛的秦老爺一再說情，只好答應。

知縣拿了畫，又辦了幾樣厚禮，趕著去孝敬諸暨的大老危素先生，這危素前日出京時，皇上親自送出城外，攜著手走了幾步，想來是快要做高官了。

危素受了禮，把畫冊看了又看，愛不釋手，急著想見王冕。知縣忙差翟買辦去約王冕，王冕懶得見人，在家裝病。

知縣急壞了，親自出馬，王冕故意躲遠了，知縣走後，王冕對秦老爺說：『知縣仗著危素的勢，在這裏酷虐小民，這樣的人，我爲什麼要去見他？』

王冕得罪了知縣，危素又難免惱羞成怒，必將怪罪，只好收拾行李，到遠方避難去了。後來，過了六年，母親過世，臨終遺言：『不要出去做官，我死了，口眼也閉。』

又過了一年，天下大亂。不久，明太祖朱元璋得到天下，徵聘王冕出來做官，王冕連夜逃往會稽山中，最後，病死山中。

由於儒林外史這一篇小說，引發了許多人對王冕的好奇，世上眞有王冕這個人嗎？答案是有的，他是元朝著名的畫家與傑出的詩人。以下是依靠可信的史料來介紹王冕其人其事。

王冕的遠祖，是輝煌的官宦之家，但是傳到王冕的父親，已經是一貧如洗的農夫，冬天沒有棉絮過冬，草屋破漏無力修補，平日只有以野菜充飢。

王冕是父母的獨生子，他並沒有幼年喪父，奇怪的是中國的小說戲劇總喜歡把父親消失，也許孤兒寡母更能打動人心。

王冕家中雖窮，卻是爸爸媽媽的心肝寶貝。王冕自幼是個神童，很會認人，擅長說話，宗族對他另眼相看，有個外號叫『千里馬』。

王冕自小求知慾很強，有一天，他父親命他去放牛，他讓牛在草地上隨意跑動，自己卻一溜煙跑到私塾裏去聽老師講課。黃昏時回到草地，糟糕，牛全跑光了，王冕被父親狠狠打了一頓，但是他還是喜歡讀書識字。

由於家裏窮，沒法子點燈，王冕心生一計，他在夜深人靜，摸到廟裏，一屁股坐在菩薩的膝蓋上，扮個鬼臉，就著佛像旁邊的長明燈讀書，膽子實在不小。

王冕信佛，但是不相信泥巴雕的佛像，他十分地調皮，有一次，媽媽要他去撿柴，他竟然把神像砍下來當柴燒。隔壁一位老先生看到了，嚇得不斷唸『罪過，罪過』，立刻把神像修補如初。

王冕一連做了好幾次壞事，但是，他家中大小平安，倒是補神像的老先生卻災難連連、禍不單行。

老先生好生氣，認爲菩薩未免太不公平了，就找了廟祝（寺廟的管理員）抱怨道：『王冕屢次毀壞神像，菩薩爲何不歸罪於他？我每次修補神像，神爲何不保佑我？』

廟祝回答不了老先生的問題，又不能說菩薩不靈，只好胡亂說：『若是你不修補神像，王冕怎會燒它？』這種回答眞是豈有此理。

王冕雖然淘氣，卻十分上進，他學習擊劍，研究孫吳兵法，常用諸葛孔明來鼓勵自己，希望能夠澄清天下，做一番驚天動地的事業。然而，元朝的統治，徹底破滅了他的希望。

閱讀心得

【第621篇】

王冕畫梅不畫荷。

許多人看到王冕，馬上聯想到畫荷，其實，查遍畫史畫跡，王冕都是畫梅花。李霖燦先生是研究中國繪畫的權威，他也曾經表示『所見皆爲墨梅，故畫荷花不足爲信』，如此看來，王冕畫荷花，極可能是儒林外史中吳敬梓編造的情節。

爲了廣開眼界，王冕曾經僱了船，到杭州去遊歷一番，欣賞西湖的畫舫往來，煙波澹澹，綠波粼粼，真是美不勝收。

但是，王冕在西湖親眼目睹一件事，卻是痛心疾首。

他見到一個回回，牽着一匹花驢兒，口中不斷地喊着：『快來看，稀奇喔，這匹花驢能懂回語，而且善解人意。』

這回回一嚷嚷，立刻吸引許多好奇的人圍觀，花驢兒果然有本事，牠能聽懂人語，會站起來，躺下來，一個口令一個動作，的確十分乖巧，旁觀者紛紛賞錢，主人便撒下一堆粟米，讓牠吃個飽。

王冕一見驢兒吃粟，大大不以爲然，當時江南細雨綿綿鬧水災，麻麥爛死，秧苗枯黃，人民忍饑挨餓，甚且以樹皮草根果腹，這驢兒倒好，略通幾句回語，吃得比人還享受，王冕眞是看不下去。

花驢兒變把戲的消息，一會兒傳開了。於是，驢主人今天牽着牠去評

疏花個個圓如玉
羌笛吹它不下來

事廳表演，明天又拉到丞相府獻寶，一些個貪官汙吏，看得興起，爭著把錢擲到地上，表示喝采。

前面我們說過，元朝色目人非常吃香，漢人最討厭色目人，認爲他們貪婪又沒有文化。王冕親眼目睹色目人在社會優越的地位，回來氣得寫了一首詩：『歸來十日不食飯，抛腕攢眉淚如雨。』整整十天粒米不進。

王冕作了數千里的壯遊，眼界大開，愛國思想也格外地濃烈。

元朝有個大官泰不花，愛極了王冕的畫，一天到晚差幾個粗俗的小廝，跑來大呼小叫，王冕煩極，最後，不得已住入泰不花的館舍，待了一陣子，泰不花想用他當謀士，王冕說什麼也不肯答應。

在儒林外史之中，王冕是被危素所逼，遠走他鄉。眞實的情形不是如此，危素是江西人，王冕是諸暨人，二人並非同鄉，不過，王冕是見過危素的。

危素是翰林學士，王冕不認識他，有一天，危素騎馬經過王冕處，王冕問道：『住在鐘樓街的人是你嗎？』

『正是！』危素答道。王冕就不開口了。

危素走遠之後，王冕對人說：『我以前看危素的文章，有一種詭異之氣，不料人也是如此。』

王冕對於貪圖富貴，侍奉元朝的人，始終沒有好感，何況危素又與趙孟頫不同，他純是爲個人的富貴而做元朝的官。

危素投降明朝之後，仍然是透著一股陰森森的詭異之氣。有一次明太祖朱元璋在看書，忽然聽到咯咯的鞋聲自遠而近，聽得他汗毛直立，顫抖地問：『是誰？』

搞了半天，原來這個『鬼』是危素，明太祖頗不悅道：『我還以爲是文天祥哩。』便把危素貶到和州。

吳敬梓在小說中，故意把光明磊落的王冕與陰沈詭異的危素相比，用來襯托王冕的高貴。

王冕對母親極爲孝順，總是挖空心思想逗老人家一樂。他偶爾在楚辭圖上看到屈原衣冠，屈原一向是王冕崇拜的對象，他便仿效此圖，自己裁製一頂高帽，一件闊衣，買了一輛牛車，載着母親，執着鞭子，掛着木劍，唱着山歌，在村子裏來來去去，後面跟着一大群孩子又唱又笑，王冕母子二人大樂。

王冕很窮，窮到連鞋子都沒有，他的同鄉王艮，十分推崇王冕的德行，特地贈他一雙鞋，王冕搖搖頭說：『我寧可光着脚丫子。』他曾經在大雪天，光着脚，登上潛岳峰，仰天長嘯：『遍天地間都是白玉砌成，我要做仙人飛去囉！』他還歡喜與山上高僧談禪，說法，打坐。

至正二十六年，朱元璋派胡大海攻紹興，胡大海前來請教王冕策略，王冕簡單地說：『大將軍如果以仁義服人，何人不服？你要我教你如何殺我父老兄弟，萬萬不可能。』第二天，王冕一病不起，胡大海幫他辦了後事，葬在山陰蘭亭之側，題爲『王先生之墓』。

王冕生平不得志，但是他在畫梅上享有盛名。古人認爲，畫梅需有高超的人格修養，所謂『畫梅須同梅性情，畫梅須具梅骨氣，人與梅花一樣清。』王冕的梅花風神綽約，奕奕有致，不論是含苞的、開謝的都是那麼飄逸不俗。

他多才多藝，能詩能畫，他認爲一張完美的畫應該是詩、書、畫、印四者相結合，也就是除了畫本身外，畫上題的詩句、落款的書法、用的印章都要講究。

王冕對自己的詩與畫也是相當自負的，他曾經畫了一幅梅花，把它貼在牆壁上，並且題了一行詩：

『冰花個個圓如玉，羌笛吹它不下來。』所謂羌笛，當然是指統治元朝的蒙古人了。

閱讀心得

【第622篇】

倪雲林畫中有逸氣。

在元末四大畫家黃公望、王蒙、倪瓚與吳鎮之中，倪瓚是相當特殊又有趣的一個。

倪瓚字雲林，他的別號很多，例如朱陽館主、滄浪漫士等，但是，以雲林二字最爲常見，所以人們都稱之爲雲林先生。

他是江蘇無錫人，家境非常富裕，到他祖父時，已經是大富豪了。雖然環境優渥，卻不幸在四歲時喪父，由大哥撫養長大。十八歲時，親愛的大哥也撒手人寰，因此，倪雲林自幼感悟，世事無常，也養成了淡泊的性格。

倪雲林家中藏書甚豐，他花下大筆資金，建造了雲林堂、清閟閣、道閒仙亭、朱陽賓館、雲仙洞等，館閣四周，種滿了蘭菊松桂，鬱鬱蒼蒼，美不勝收。

無錫人把倪雲林當成鄉中一寶，也是奇特的一景。鄉人經常聚集在他家樓下，遠遠望見他或讀書，或作畫，或與朋友品茗聊天，一派悠然自得，看起來彷彿超然物外的神仙。

有個外國商人，久仰倪雲林的聲名，特別準備了上好的沈香百斤（古人喜歡點香，增加氣氛），請求會見。

倪雲林不想見他，託辭赴惠山看梅花去也，外商很是遺憾，在門外流連忘返，徘徊許久。

過了兩、三天，外商又來了，一個人呆呆地站在門口，捨不得走。

倪雲林有些不忍，悄悄地吩咐僕人道：『你把雲林堂的門打開，讓他去看看吧！』

外商大喜過望，進入雲林堂，看到佈置之典雅、氣氛之優美，簡直目瞪口呆，忍不住央求僕人道：『你可不可以把清閟閣也打開讓我瞧瞧？』

『對不起，清閟閣不是普通人可以進去的。』僕人抱歉地婉拒了。

外商無奈，竟然打躬作揖，對著清閟閣拜了幾拜，方才依依不捨的告別。從此以後雲林家園的聲名傳播得更遠了。

倪雲林最崇拜宋朝的米芾，米芾，是水墨大師，爲人瘋癲，有強烈的潔癖（詳見吳姐姐講歷史故事前面曾經介紹），倪雲林也是一個極愛清潔的人。

他穿的衣服，戴的帽子，每天勤加拂拭不下數十回，若是有客人前來，規定客人也先去盥洗室清洗一番。甚且連窗外的梧桐葉子，假山假石，也都打掃得一塵不染，又爲了害怕掃地時，不免破壞庭院中青翠綠苔，他發明了一種掃把，只有光禿禿的杖頭，釘上一根釘子，用來挑葉片。

某日，倪雲林來了一位客人，夜宿倪家。

到了半夜，倪雲林聽到客人的咳嗽聲，以及吐痰的濃濁聲，心中暗忖『糟了……』於是，一個晚上沒睡好，第二天一大早找來僕人，下令道：

『你去仔細找找看，那兒有吐痰的痕跡？』

僕人又好氣又好笑，出去轉了一圈回來道：『找到了，就在窗外的梧桐葉上。』

『快，快把葉片剪下，你騎着馬去把它丟遠一些。』倪雲林眞是急如星火。

倪雲林的潔癖不但在家如此，出外也是不改脾氣。

有一回，他到蘇州『養賢樓』拜訪好友徐達左，一塊談論詩文。當好友們促膝談心之時，他差了書僮去山裏汲泉水。

僮兒挑來了兩桶山泉，正要去泡茶，倪雲林大叫：『且慢！前面一桶煎茶，後面一桶留著洗脚。』

眾人皆錯愕地望著倪雲林。他慢悠悠地解釋道：『前面的桶沒碰到什麼，用來煎茶十分適合，後面的那一桶，也許書僮走了一半，放了屁，山泉沾了屁糞氣還能喝嗎？』

話沒說完，眾人已揉著肚子笑個不停。

倪雲林清高絕俗，一輩子避免與富貴的人打交道，他對自己的畫並不十分愛惜，喜歡到處贈人，獨獨對有權有勢的人，拿了潤筆來求畫，一概相應不理。（所謂潤筆，指的是請人作畫、寫字的酬勞。）

吳王張士誠的弟弟張士信，久仰倪雲林的畫藝，差人備了上好的絹紙以及一大筆潤筆登門請畫。

倪雲林卻把使者給轟了出去，並且氣憤的說：『我可不能做王門的畫師……』

張士信聽說倪雲林這麼不給面子，大為生氣。後來，有一天，張士信與朋友遊太湖，忽然，遠遠飄來了一股異香，他判斷，必然是有潔癖的倪雲林在附近。

果然，一找就找到了倪雲林，眞是冤家路窄，張士信命令手下痛毆了倪雲林，幾乎活活打死，幸虧許多文人苦苦相勸，才饒了倪雲林一命。

倪雲林挨揍時，噤口不出一聲，事後他對朋友解釋道：『一出聲便俗。』

倪雲林的畫如其人，天眞幽淡，有一種悠雅的逸氣，這種有意無意、若淡若疏的逸氣，一般人是學不來的。

明朝沈周也是大畫家，他能畫大幅山水，可是，沒法學倪雲林的淡墨，每次一下筆，他的老師便會說：『太過了，太濃了。』

倪雲林這種蕭條淡泊的意境，也代表中國文人脫俗寧靜的風範，當時的人，以擁有倪雲林的畫爲傲。他死了以後，所留下的畫更成爲搶手貨。在明朝的時候，江南人家以『有無雲林圖爲其清濁』，也就是說，若是能有一幅雲林的畫，就可列爲清高的門第了。

閱讀心得

【第623篇】

古道西風瘦馬。

元朝只有短短的九十年，但是元曲在中國文學史上，卻佔了一頁相當重要的地位，我們通常把『唐詩』、『宋詞』與『元曲』並列。

曲其實是詞的替身，不論自音樂的基礎，或形式的構造，都是從詞演化而來的，詞是可以唱的，原是流傳於妓女歌伶之口的通俗文學。

後來，文人雅士流行作詞，體裁日益豐富，音律修辭日益講究，格調日益高尚，久而久之，成爲高級知識份子的專利，一般民衆看不懂，也唱不出。

於是，娼妓歌伶只有自民間小調中找資料，慢慢形成一種新的體裁，稱之爲曲。

同時，北宋末年，金人入主中原，接著，蒙古民族南下，胡調番曲大量輸入，琵琶、胡琴也相繼引入，混合著原來民間的歌謠小調，形成一種新的詩歌形式，取代了逐漸僵化的宋詞。

曲形成的另一個因素是，中國自唐朝以後，人口集中的大型城市相繼形成，民間說唱藝術日益活潑繁榮，宋朝的說唱藝術不但風靡全國，而且深入農村。到了元朝，商業與手工業發達，人們更需要娛樂，說唱藝術不能不推陳出新，滿足大衆的口味。

枯藤老樹昏鴉
小橋流水人家

所謂元曲，其實包含兩個部分，一是散曲，一是雜劇，兩者大不相同，前者可以說是元代的新詩，單純的詩歌。後者是元代的歌劇，除了有曲文，還要有動作，對白，有一個完完整整的故事，可以上演的。

元曲大家多半是左手寫散曲，右手寫雜劇，十分能幹，這些名家的生平故事，我們留待講一齣齣有趣雜劇時再詳細說，這一篇只介紹散曲本身，相信也是許多讀者樂於知道的。

散曲在形式上，雖然與宋詞一般，都是長短句（詩則為相同字數，例如五言律詩，七言律詩），也都是在不整齊之中，形成整齊與規律。

但是，曲又比詞自由活潑許多，有長達二、三十字者。例如關漢卿形容自己的倔脾氣：『我卻是蒸不爛煮不熟搥不扁炒不爆響噹噹一粒銅豌豆。』長長的一大串兒，在中國最爲講究格律限制的詩詞裏，可是從未有過的現象，給予創作者極大的便利。

此外，散曲又有另外再加上襯字的方便，就是在原來格式之外，又自由的添些文字，可以淋漓盡致的表達情意，請看下面的例子，字體略小的部分就是襯字，襯字的使用，使得相同的曲牌，同樣的句數，卻有不同的字數。

『體態是二十年挑剔就的溫柔，姻緣是五百載該撥下的配偶，臉兒有一千般說不盡的風流。』

這一句是描寫王昭君的美貌，多了幾個襯字，看起來更爲生動。

曲還有一個特色，就是濃厚的寫實性，中國的詩詞都是含蓄典雅，讓讀者猜了又猜，還是猜不透眞正的含意。

曲就不一樣了，有些典雅的題材，固然莊重嚴肅，卻也有低俗的題材，表現出嘲笑戲謔，甚且有大膽得讓人看了臉紅的，因此，曲描寫的範圍比較廣，也較爲逼眞。

以下，我們介紹幾首著名的散曲：

天淨沙（秋思）　馬致遠

枯藤老樹昏鴉。
小橋流水平沙。
古道西風瘦馬。

夕陽西下，
斷腸人在天涯。

這首『天淨沙』可說是元曲中的絕唱，看過的人沒有不誇獎的，它沒有用一個形容詞，就點出了蕭瑟落拓的意味，好像讓讀者看到奔波的遊子，在秋涼薄暮，踽踽獨行……

村夫飲　　無名氏

賓也醉主也醉僕也醉，
唱一會舞一會笑一會，

管什麼三十歲五十歲八十歲。
你也跪他也跪恁也跪。(恁音任，如此也)。
無甚緊絃急管催，
喫到紅輪日西墜。
打的那盤也碎碟也碎碗也碎。

古代農村，農夫終年辛勞，沒有什麼娛樂，難得有一次歡樂的宴聚，鬧得東倒西歪，把碗碟打得唏哩嘩啦，十分有趣。

閑適　關漢卿

南畝耕，

東山臥。
世態人情經歷多，
閑將往事思量過，
賢的是他，
愚的是我，
爭什麼！

以上的幾首曲，都是簡簡單單，卻又含意深刻，平常的口語，若是用在詩詞之中，便覺得不自然，而用在曲中便覺得活潑美麗，情趣橫生，中國文學的寶藏實在是相當豐富。

閱讀心得

【第624篇】

雜劇大師關漢卿。

在上一回中，我們說到，元曲包含兩個部分，一是散曲，一是雜劇，散曲可以說是元代的新詩，雜劇是元代的歌劇。

雜劇可分爲三個部分：歌曲、賓白與科。

元劇中的歌曲，多半由一個人獨唱，其他演員只有對白，例如漢宮秋之中，歌唱全由漢元帝擔任，王昭君一句也沒得唱，十分奇怪。

負起歌唱責任者，大半爲劇中的要角，或『末』或『旦』，所以有末本、旦本之稱，末是戲劇中扮演老人的角色，旦則是劇中扮演婦女的角色。

賓白就是台詞，賓是對話，白是獨白，雜劇之中，往往都有很長的說白，並且在那些對話之中，把人物的個性情緒表現得非常活躍。

元劇之中，表演動作的叫做科，凡是動作，都有記載，例如某某哭科，某某睡科，某某醉科，十分有意思。

雜劇風行，除了劇本之外，還要有演員、劇場、服裝、道具以及大量的觀眾，這一切都必須在經濟發達、資本雄厚的城市才能發展。

元朝的大都（北平）正是符合這些條件的國際都市，我們在介紹馬可波羅遊記之中，曾經講到，『當時每日商旅及外僑往來者，難以數計，此間之富裕，及所用之珍奇寶貨，爲世界上其他城市所無。』

當時到大都的洋人，雖然不通漢文，照樣可以進劇場，看熱鬧，由於觀光客的大批湧入，也帶動了雜劇的興盛。

再說，元朝的文壇，是一個最自由放任的時代，唐宋以來文以載道的思想早被扔到一旁，蒙古民族兇強好戰，最愛聲色之娛，雜劇也就正中下懷。

元朝初年，帝王愛好戲劇，原是承襲了金朝愛好戲劇的風習。據說金熙宗曾經下令，有三件事不准臣下諫諍，那就是欣賞歌舞、施捨僧侶與打獵。

蒙古人歡喜歌舞，連打仗時，君主也攜帶歌女、舞女同行。

因此，蒙古人南下之後，對中國傳統深厚的文化，沒法吸收，但是對於妓女優伶、歌舞戲曲，卻是大加鼓勵提倡，雜劇風行以後，宮廷之內，每逢內宴，必要上演歌舞戲劇，君臣同樂。

既然宮廷喜愛雜劇歌舞，民間自然效法風行，也引起了一般人學習的興趣，連經年胼手胝足的農夫，也要想辦法省下兩百錢，去勾欄看看熱鬧，有一回，勾欄裏人潮洶湧，棚子撐不住，竟然垮了下來，活活壓死了四十二人。

又由於女伶們色藝俱全，許多良家子弟往往整日流連，與之發生戀愛，耽溺其中，最後弄得傾家蕩產，因此當時留下不少勸戒子弟勿『遊歌酒之肆，登優戲之樓』的文章，更妙的是，雜劇之中如『羅李郎大鬧相國寺』中就描述了青年熱戀女伶的故事。

元朝雜劇盛行，還有一個很重要的原因。元朝只舉行過一次科舉，過去士子日夜研讀詩賦古文，十年寒窗，期待金榜題名，現在英雄無用武之地，而雜劇興起，正可以抒情怨、寫故事，合乎苦悶時代浪漫與憂鬱文人的口味，雜劇既有一流優秀人才相率投入，譬如關漢卿等，自然大放異彩。

關漢卿是元朝最偉大的戲曲作家，也是中國歷史上最偉大的劇作家。他的創作力極爲充沛，作品高達六十種以上。比起英國大戲劇家莎士比亞，幾乎多出一倍。可惜，現存下來的，只有十六種。

關漢卿多才多藝，是個徹徹底底的風流才子，他在『南呂一枝花』中，曾經自剖：『我玩的是梁園月，食的是東京酒，賞的是洛陽花，攀的是章臺柳。』

所謂章臺柳，指的是唐朝韓雄與家姬柳氏的故事，他二人因爲安史之亂離散，柳氏出家爲尼。韓雄曾經寫過一首詩給柳氏：『章臺柳，章臺柳，昔日青青今在否，縱使長條似垂柳，亦應攀折他人手。』

後來，柳氏被番將沙吒利劫奪，韓雄用計救回，終於團圓。後來有人把這個故事寫成短篇小說，叫《柳氏傳》，《柳氏傳》是唐代著名的小說。

關漢卿又說：『我也會吟詩，會篆籀（字體）、會彈絲、會品竹。我也會唱鷓鴣，舞垂手，會打圍（狩獵）、會蹴踘（踢球）、會圍棋、會雙陸（賭博），你便是落了我牙，歪了我口，瘸了我腿，折了我手……我也要往煙花路兒上走。』

由此可見，他是日日夜夜泡在妓院劇場中的人，必要時且『躬踐排場，面敷粉墨』，自己上台演一角。豐富的人生閱歷，加上熟悉的舞台經驗，幫助他寫下不少動人的劇本。賈仲明稱他爲：『梨園領袖，編劇帥首，雜劇班頭。』

閱讀心得

【第625篇】

竇娥冤。

關漢卿作品之中，評價最高的，該算是《竇娥冤》了，被譽爲世界最偉大的悲劇，法國、日本都有譯本，它的情節是這樣的：

在楚州，有一個窮秀才竇天章，雖然飽讀詩書，奈何時運不濟，考進士科，屢試屢敗。竇天章肩不能挑擔，手不能提籃，除了詩書，別無才能。不幸，妻子早逝，他帶着七歲小女兒竇娥相依爲命。

竇秀才向隔壁蔡寡婦借了二十兩銀子，因爲是高利貸，過了一年，連本帶利，成爲四十兩，竇秀才那兒還得起，只有含淚把小女兒竇娥賣給蔡寡婦，當作童養媳，算是抵了債，隻身前往京城趕考，離開了楚州。

竇娥做了十年的童養媳，與蔡寡婦的兒子完婚。竇娥也眞命苦，結婚兩年，丈夫便去世了，竇娥就在家守寡，和婆婆同住。

話說，城裏有一個賽驢醫，也向蔡婆婆借了十兩銀子，連本帶利該還二十兩銀子，蔡婆婆三天兩頭地催討，賽驢醫被債逼急了，一不做二不休，騙蔡婆婆一塊赴錢莊取錢，半途下手，要勒死蔡婆婆。

正在千鈞一髮的時候，閃出一個張驢兒父子，把蔡婆婆搭救了，這張驢兒可不是什麼俠義之士，他是個心狠手辣的流氓，他惡聲惡氣地問蔡婆婆：『你是那兒人氏？家中還有什麼人？』

蔡婆婆滿懷感激地回答：『家中別無他人，只有守寡的媳婦兒。』張驢兒一聽，立刻喜上眉梢，對張老頭說：『爹，乾脆你娶了這婆婆，我要了她媳婦兒。豈不兩便？』蔡婆婆守了幾十年寡，自然不肯。但被張驢兒父子一逼，爲了保命，也就半推半就答應了。

蔡婆婆回到家中，把經過說給竇娥聽，竇娥一聽，婆媳倆要嫁給這對無賴父子，便斬釘截鐵地表示：『婆婆，你要嫁你自己嫁，我是絕不改嫁的。』

到了晚上，張老頭把蔡婆婆推進房去，張驢兒便死皮賴臉要對竇娥動手動脚，被竇娥一把給推開，竇娥獨自跑進房間，把門一關，將張驢兒關在門外。

張驢兒站在門外，狠狠地咒罵：『待我害死你婆婆，看你孤單一人，還能逃出我的手掌心？』

第二天，蔡婆婆病了，想要喝羊腸湯，竇娥煮好了湯，張驢兒騙竇娥說要加鹽醋，命竇娥去廚房裏拿。等竇娥一離開，張驢兒立刻把毒藥倒入湯裏。

這時，張老頭恰好進門，看到竇娥手裏端著一碗熱騰騰的鮮湯，正要送給蔡婆婆，張老頭兒自覺才做新郎，滿心歡喜，趕緊叫住了竇娥，接過了碗，親手端湯，送給蔡婆婆喝，大獻殷勤。

誰知，面對羊腸湯，蔡婆婆忽然覺得一陣噁心，不想喝了。

『這麼好的湯，不喝多可惜，你不喝，我喝。』張老頭說著一口氣就把滿碗湯喝光。

喝完湯不久，張老頭兒感覺腹痛如絞，兩眼一黑，一跤跌在地上，不久便一命嗚呼了。

張驢兒見毒藥害死的，竟是自己的父親，便一口賴定是竇娥下的毒，除非竇娥就範，否則定要告到官府。沒想到，竇娥的骨頭也眞硬，抵死也不從，於是，張驢兒便向太守告了狀。

楚州太守是個糊塗官，不問情由，一口認定竇娥毒死張老頭兒，於是下令用刑。

公堂上的衙役們如狼似虎，竹杖和皮鞭對著竇娥猛抽，可憐嬌弱的竇娥被打得血肉模糊，昏死過去。

一盆冷水當頭潑下，竇娥從昏死中清醒過來，緊接著，竹杖和皮鞭又交叉落下，竇娥連冤枉都來不及喚，牛頭馬面已經勒住她的脖子，便又昏了過去。

雖然竇娥被打得不成人形，她還是沒有屈服，太守見她不肯招，轉而要對蔡婆婆用刑，這一手果然厲害，竇娥終於屈服了。

『婆婆啊！』竇娥哭道：『我不怕死，但你不能死，我如果不肯認罪，你會被他們打死的，爲了救你，我還是認罪吧！』

於是，糊塗太守就判了竇娥死罪，釋放了婆婆。

這是冤獄，可是在古代君主專制政治之下，可憐的百姓，有什麼辦法伸冤呢？

行刑的日子到了，竇娥被綁赴法場，楚州的老百姓擠滿了法場，大家心裏都明白竇娥是冤枉的，但誰也救不了竇娥，只有嘆息竇娥的命好苦。跪在法場上，竇娥滿心委屈，卻沒有畏懼，她向監斬官索求一匹白布。監斬官有些奇怪，但這是死囚的最後要求，當然不能拒絕，於是命人把一匹白布送到竇娥面前，緩緩展開。

竇娥帶著滿腔的恨意，注視著監斬官和圍觀的百姓，用沈重的語調，一字一字地說：『我竇娥含冤莫白，老天爺明察，爲了證明我竇娥是冤枉的，請老天爺答應我三件事：第一，刀過頭處，我的鮮血要全部飛到白布上，別讓鮮血沾到這骯髒的地上。第二，天降三尺白雪，遮掩竇娥屍體。第三，竇娥死後，楚州接連乾旱三年，滴雨不降。』

竇娥說完，監斬官一聲令下，劊子手手起刀落；說也奇怪，竇娥頸上的鮮血直噴白布，那白布頓時變得鮮紅，紅得讓每個圍觀者心裡發毛。一陣狂風隨之而來，大家抬頭一望，原本碧藍的天空，怎麼變成烏雲密佈，濃黑的雲團好像就要壓下來一般，緊接著，大雪紛飛，冷風刺骨。

再說竇天章與女兒分別，到京師一舉及第，幾年後做了大官，一直到十年之後，才奉派回楚州，探望民情。

他回到楚州，見三年不雨，乾旱嚴重，心知必有冤屈。有一天晚上，當他翻閱楚州衙門的公文檔案，見到竇娥的案卷，忽然蠟燭閃爍，竇娥冤魂出現，說明冤情，竇天章感嘆不已，第二天立刻重審此案，竇娥雖已死，仍然改判無罪，張驢兒伏法，楚州太守受罰，宣判完畢，楚州立刻普降甘霖。

這齣戲又名『六月雪』，關漢卿寫盡了當時官吏的腐敗，爲善良的百姓喊冤，雖然這只是一齣戲，但是眞實的歷史中何嘗沒有相似的故事？

閱讀心得

【第626篇】

王實甫與西廂記。

王實甫與關漢卿一樣，都是元代蜚聲藝壇的傑出戲劇家。他的生平不詳，只知道名德信，字實甫。然而，一齣《西廂記》卻使他永垂不朽。

唐朝著名詩人元稹寫過一篇傳奇小說《會眞記》（又名《鶯鶯傳》）記述他與表妹相戀的故事，由於劇中男主角張生，就是作者自己，所以寫來格外纏綿動人。

到了北宋，說唱文學十分發達，金朝時，董解元將《會眞記》的故事加以渲染，而寫成《西廂記諸宮調》，變成一種諸宮調形式的說唱文學。《西廂記諸宮調》又稱《董西廂》。到了元代，王實甫以《董西廂》爲藍本，加上自己的想像力，寫成了哀怨動人的雜劇《西廂記》，也使得張生與崔鶯鶯成爲青年男女心目中愛情典型代表。

王實甫的《西廂記》是一齣雜劇，全名是《崔鶯鶯待月西廂記》。

《西廂記》的內容，大概是這樣的：

書生張君瑞是一個姿容秀雅，風流倜儻，先人拜禮部尚書，書劍飄零，功名未遂，遊於四方，由於秉性孤傲，眼界甚高，因此到了二十三歲，仍然還沒有娶妻。

有一天，張生到蒲州的普救寺遊玩，一來瞻仰佛像，二來拜謁長老。

無意之間，在廟裏見到一位絕色佳人，他頓時覺得『眼花撩亂口難言，靈魂兒飛在半天。』尤其她臨去秋波那一轉，張生簡直如醉如痴。廟裏的和尚告訴張生，已故崔相國夫人與女兒鶯鶯常寄住在此，那位天姿國色的佳人便是崔小姐。並且警告張生不可造次。

『師父，』張生對普救寺的住持說：『我也想在貴寺暫住幾天，早晚溫習經史，可否請師父行個方便。』

住持看張生溫文儒雅，便答應張生暫住在廟裏的西廂。

隔天，張生等着俏紅娘出來，深深一作揖道：『小生姓張，名珙，字君瑞，本貫西洛人也，年二十三歲，正月十七日子時建生，並不曾娶妻。』俏紅娘啐了張生一口道：『誰問你來？』

張生又接著問：『小娘子莫非鶯鶯小姐的侍妾嗎？小姐常出來嗎？』

紅娘回去對小姐說：『姐姐，我不知他想什麼哩？世上竟有這等傻角？』

鶯鶯抿著嘴笑道：『紅娘，休對夫人說。』

當天晚上，月明如畫，張生信步走到鶯鶯所住廂房外的走廊上，獨自吟了一首詩：『月色濛濛夜，花陰寂寂春，如何臨浩魄，不見月中人。』

這時，只聽『呀』的一聲，廂房門開了，出來的正是千嬌百媚的鶯鶯小姐，她嬝嬝婷婷對著明月，也依韻吟了一首詩：『蘭閨久寂寞，無事度芳春，料得行吟者，應憐長嘆人。』

張生一見崔鶯鶯，眞是喜出望外，立刻邁步向前，作了一個長揖，正要說話，卻被鶯鶯的婢女紅娘喝住，鶯鶯也羞得低下頭，退回廟裏去了。

望著鶯鶯的背影，張生呆立在原地，半天動也不動，到了半夜，才勉強回房，躺在床上，卻總是睡不著。從此朝思暮想，眼前全是鶯鶯的倩影。

有一天夜晚，張生與廟裏的住持正在談禪，紅娘走了過來，對住持說：『夫人明天要爲相國作佛事，請師父準備一下。』

紅娘一走，張生立刻央求住持，明天也要爲已故的父親，做一場超度的功德，並且拿出銅錢五千，做爲酬勞，住持看張生出手大方，也就滿口答應了。

第二天，當崔鶯鶯隨同母親，到佛堂去上香叩拜的時候，忽然發現張生竟然也在佛堂上，眞是既歡喜又害羞，不時用眼角瞟一瞟張生，那張生俊秀的面貌和優雅的氣度，讓鶯鶯的心跳不斷加快。

『這是什麼人？』老夫人不高興地問住持。

『他是張君瑞，』住持說：『也寄住在本寺，今天他也爲他的亡父作佛事，請老夫人多多包涵。』

忽然，一個小和尚慌慌張張跑來：『大事不妙！』原來蒲州守將的部下孫飛虎叛變，帶領叛兵，把普救寺團團圍住，聲稱要強娶國色天香的崔鶯鶯小姐爲妻。

老夫人一聽惡耗，嚇得幾乎昏倒，崔鶯鶯也急得要尋死以保清白。

『老夫人別怕，我自有退敵之計。』張生走到老夫人面前說。

『眞的嗎？』老夫人睜大眼睛望著張生，像在狂濤巨浪中忽然抓到一塊木板：『張相公，如果你眞能退去賊兵，我一定把鶯鶯許配給你。』

張君瑞聽到老夫人的話，興奮得幾乎跳起來，立刻要住持準備紙和筆。大家都用懷疑的眼光看着這文弱書生，眞不知道他用什麼法子，打退孫飛虎。

張君瑞用最快的速度寫了一封信，然後對住持說：『我有一個好友名叫杜確，人稱白馬將軍，駐紮在離此不遠，請師父派一個身手矯捷的人，把這封信送去，他一定會來救援，但白馬將軍也要兩三天才能趕來，所以請師父去對孫飛虎說，崔小姐有孝服在身，要三天後才能出廟，請孫飛虎不要立刻攻進廟來，否則，崔小姐一定自殺。』

於是住持馬上選了一位年輕力壯的和尚從後山偷偷溜出寺去，向白馬將軍求援。另外一方面，住持又向孫飛虎說三天後送崔小姐出廟。孫飛虎一聽崔小姐答應嫁給自己，十分高興，要求三天的期限也很合理，便停止攻打普救寺，只是把廟團團圍住。

閱讀心得

【第627篇】拷紅娘。

　　張生在普救寺巧遇崔鶯鶯，鶯爲天人。正巧普救寺被叛將孫飛虎團團圍住，想要強娶崔鶯鶯，張生寫信向白馬將軍求援，崔母答應，若是兵退，將把鶯鶯許配給張生……

　　孫飛虎答應暫緩三天，等崔鶯鶯孝期過後完婚。到了第三天，孫飛虎正準備迎接崔小姐，不料卻來了一支人馬，那就是白馬將軍帶了部眾到普救寺，白馬將軍武藝高強，把孫飛虎打得抱頭鼠竄。

當天晚上，老夫人設下慶功宴，邀張生和鶯鶯共餐，張生喜孜孜以爲老夫人要談結婚的日期。不料老夫人在席間突然對鶯鶯說：『鶯鶯，快拜張相公爲哥哥。』

『哥哥？』張生以爲自己酒醉聽錯了話：『老夫人不是答應把鶯鶯小姐許配我爲妻嗎？』

老夫人臉色凝重說道：『鶯鶯自幼已許配給她的表兄鄭恆了。』

這明明是老夫人在賴婚，張生頓時頭昏耳鳴，他不知道崔夫人和鶯鶯是如何走的，不知道自己是怎麼回房的。於是，張生病倒了。

整個事情的過程，紅娘都看在眼裏，她實在不忍心看到可憐的張生臥床生相思病。

有一天，紅娘對張生說：『我家小姐最愛聽琴，你如果用琴打動她的芳心，或許還有希望。』

當天晚上，張生便在廟外彈起琴來，他彈的是司馬相如的『鳳求凰』，幽怨的琴聲果然引來了鶯鶯。但鶯鶯因爲母親的警告，卻又不敢去和張生見面。紅娘在一旁觀看鶯鶯的表情，知道鶯鶯對張生是動了眞情，便悄悄拿出一張事先準備好的字條，那是張生寫的一首情詩，鶯鶯看完情詩，心裏有甜蜜蜜的滋味，但臉上卻裝出生氣的樣子，罵紅娘道：『這種鬼東西怎麼可以拿來給我？』

『小姐，別生氣，我去罵他！』紅娘狐疑地望著鶯鶯。

『算了，我寫幾個字去教訓他。』鶯鶯說著，便提筆寫字。

紅娘不識字，不懂鶯鶯寫的是什麼，便送去給張生，張生一看，鶯鶯寫的是一首詩：『待月西廂下，迎風戶半開，拂牆花影動，疑是玉人來。』張生大喜過望，這一天正是十五月明之夜，莫非鶯鶯暗示要與他約會。

好不容易熬到月上樹梢頭，張生來到花園外，卻不見鶯鶯小姐的蹤影。於是，張生壯起膽，翻身爬過矮牆，果然見到鶯鶯，正要上前說一些愛慕的話，卻不料鶯鶯義正辭嚴地教訓張生，不可違背禮儀

張生被訓了一頓，啞口無言，只得悶悶回房，從此情思恍惚，茶飯不思，終於病倒在床，奄奄一息。

崔鶯鶯聽說張生生病，心又軟了，派紅娘拿了藥方子去，藥方子上寫的是晚上來相會，張生一見藥方，立刻霍然而癒。

可是到了晚上，鶯鶯左思右想，總覺得不妥，又害羞起來，不肯赴約。紅娘很瞭解鶯鶯的矛盾心理，再三催促鶯鶯赴約，鶯鶯在半推半就下，便悄悄去探望張生。從此，鶯鶯天天夜晚都去會晤張生。

過了半年多，張生與鶯鶯的幽會，終於被老夫人知道了，老夫人大怒，叫來紅娘，怒氣沖沖的責問道：『老實說來就饒了你，不然我就打死你這個賤人。』

紅娘見老夫人的神情，知道瞞也沒有用，便老實地招了。

『這都是你這賤人惹的。』老夫人罵道。

『這不是張生、小姐和紅娘之罪，乃是老夫人的過錯。』紅娘答辯著。

『怎麼，你竟說是我的過錯？』老夫人瞪著紅娘。

紅娘直起了腰，壯起膽子回答道：『古人說：「人無信，不知其可也。」當時孫飛虎包圍普救寺，夫人親口答應只要張生能退去賊兵，便把小姐嫁給他。等到兵退，夫人卻自食其言，這豈不是失信？既然夫人不肯讓他們成婚，就該用金錢酬謝張生，要張生離開，但夫人卻沒這樣做，反而要他們結爲兄妹，同住在一個大門內，焉能不日久生情，這是老夫人你自己的疏忽啊！現在老夫人如果把事情張揚出去，一來會侮辱崔家的聲譽，二來張生日後飛黃騰達，豈肯忍受老夫人恩將仇報的行爲，如果打起官司來，老夫人也會得一個治家不嚴之罪。如果官府細加審問，就會指責老夫人背義而忘恩，豈不是玷污了老夫人賢德之名嗎？請老夫人得放手處且放手，何必苦苦追究？』

聽了紅娘的一大段話，老夫人的怒火熄了，嘆了一口氣說：『你這小賤人說得也有道理，誰教我養了這個不肖之女，好吧，你把張生喚來。』

張生隨著紅娘來到老夫人面前，嚇得臉無人色，老夫人鐵青著臉說道：『張生，你的事我已經知道，我答應把鶯鶯嫁給你，但是我崔家不招白衣（沒有官職）的女婿，你明天便上京去應考，考得上，再回來完婚，如果考不上，也就別回來見我了。』

張生聽說老夫人答允了婚事，立刻轉憂爲喜，趕緊回去辦理行囊，第二天，老夫人和鶯鶯送張生到長亭，殷殷話別，聲聲珍重，張生便單身入京去了。

閱讀心得

【第628篇】

西廂記與中國愛情小說。

崔老夫人知道了鶯鶯與張生的戀情，她也答應二人成婚。只是有一個條件，崔家不招白衣，張生必須赴京趕考，求取功名。

張生到了京師，趕上考期，得中頭名狀元。這時，張生離開崔鶯鶯已半年多了，古代通信十分不便，所以張生也就沒有給鶯鶯寫過信。可是心裏卻是十分惦記著鶯鶯，既然考取了進士，這是好消息，便在旅館裏寫了一封信，命琴僮連夜趕到河中府崔家送信。

崔鶯鶯自從送走張生以後，朝思暮想，人也消瘦了。這一天，鶯鶯正在發呆，忽然紅娘跑了進來，笑著說：『小姐，大喜大喜，張相公得了官啦！』

鶯鶯見紅娘瘋瘋癲癲的樣子，便罵道：『你這小妮子，看我心裏悶，跑來哄我，幹嘛！』

『不是我哄你，琴僮在外面，你可以叫他來問。』紅娘也邊說邊把琴僮叫了進來。

看到琴僮，鶯鶯盡量把聲音裝得很平靜說：『你幾時離京，來這兒有什麼事？』

『我離京一個多月了，相公要我帶封信來。』說著說著，便把信交給

鶯鶯。

鶯鶯接過了信，正要拆開，眼淚再也忍不住奪眶而出。張生的信一來是報平安，說明自己已經考中狀元，不久就可以派任官職，同時表達自己對鶯鶯的思念之情，最後附了一首七言情詩：『玉京仙府探花郎，寄語蒲東窈窕娘，指日拜恩衣晝錦，定須休作倚門妝。』這首詩寫得並不好，但告訴了鶯鶯不要掛心，自己一旦做了官，就會回來和鶯鶯團聚的。

鶯鶯看了張生的信，感動萬分，便命紅娘拿來筆硯，立刻寫了一封回信，信末也回了一首詩：『闌干倚偏盼才郎，莫戀宸京黃四娘，病裏得書知中甲，窗前攬鏡拭新妝。』這首詩是說鶯鶯一直倚著欄杆，盼著張生早歸，希望張生不要迷戀京城裏漂亮的女人，鶯鶯在生病時得到張生的信，知道張生中了狀元，病就不藥而癒，坐在窗前化起妝來，等候著張生。

琴僮帶著鶯鶯的信，又急忙趕回京師，呈給張生，張生接過書信，一看信封的字似被水漬，張生知道那一定是鶯鶯的眼淚，拆開信封，見鶯鶯的信文辭清雅，一片相思之情，躍於紙上，而鶯鶯的書法又是那麼秀麗，讓張生又愛又敬，不覺自嘆道：『佳人才思，鶯鶯世間無二。』於是，更加歸心似箭了。

不久，皇帝任命張生爲河中府尹，張生立刻上任。

話分兩頭，且說老夫人的外甥鄭恆聽說未婚妻崔鶯鶯許配給張君瑞，心中十分不滿，便帶了家丁來到河中府，命人先把紅娘找來問話。

紅娘見到鄭恆，便把老夫人許婚張生的事情緣由告訴鄭恆，紅娘說：

『你也別生氣，孫飛虎圍普救寺的時候，你在那裏？如果沒有張生，小姐早就死了，你娶誰去？』

『我不管，反正是舅父生前答應的婚事。』鄭恆很不服氣。忽然心生一計：『對了，張君瑞中了狀元，正在遊街，衛尚書的女兒在綵樓拋繡球招親，繡球打中張生，衛尚書便把張生招爲女婿，這是我親眼看見的。』

『有這種事？我不信！』紅娘搖搖頭。

『不管你信不信，我明天派人帶禮去見姑媽，準備迎親。』鄭恆說。

紅娘回府，把鄭恆的話告訴老夫人，老夫人大怒，痛罵張生沒有良心，並且決定把鶯鶯嫁給鄭恆。

第二天一早，張君瑞趕到河中府，來不及到官府上任，便先到了崔家，老夫人一見張生便怒不可遏，並把張生趕出去，張生莫名其妙，急忙問是怎麼回事？

『你不是衛尚書的女婿嗎？幹什麼跑到這裏來，快出去！』老夫人下逐客令。

『我不是衛尚書的女婿。』張生急著分辯。

這時白馬將軍杜確正好趕到崔府，一見張生，大聲叫道：『兄弟，我到衙門找你，你不在，我知道你一定在這裏，所以趕了過來，向你賀雙喜臨門。』

『什麼雙喜臨門？』張生望著杜確說。

『一是新官上任，一是當新郎倌啊！』

『得啦！』張生歎了一口氣：『老夫人說我做了衛尚書的女婿，所以不肯把鶯鶯小姐嫁給我。』

『誰說有這回事？』杜確問老夫人。

『鄭恆說的。』老夫人回答道。

正巧這時鄭恆進了門，杜確一把拉住鄭恆說：『你說張君瑞做了衛尚書的女婿，你在撒謊，破壞別人的家庭，來人啊，把這個傢伙拿下，我要奏明聖上，殺了這賊子。』

『別抓，我自願退親，把婚事讓給張生。』鄭恆哀求道。

老夫人一看外甥承認說了謊，氣也就消了，便對杜確說：『饒了他吧，趕他出去算了。』

鄭恆又羞又愧，走到庭院，一頭撞向大樹，立刻腦漿迸裂而死。

於是，張生與鶯鶯終於結成夫婦。

以上是西廂記的故事，其實，元稹對表妹是始亂終棄，悲劇下場，但是王實甫把它改爲大團圓的結局，比較合乎中國觀衆的口味。

西廂記中的曲詞，美不勝收，寫初見、寫相思、寫矛盾、寫苦悶、寫幽會的浪漫、寫別離的哀怨，無不絲絲入扣，極能吸引觀衆。

中國的戲曲小說，寫到男女戀史，往往是驚艷之後，一見鍾情，共訂白首之盟，完全不描寫心理狀態，西廂記是極難得描寫心理狀態的作品。

由於西廂記的細密曲折，情節感人，清代著名文學批評家金聖歎，曾經舉出《莊子》、《離騷》、《史記》、《杜詩》、《水滸傳》與《西廂記》爲六大才子書，意思是說這六部作品都出於才華蓋世的人之手。此外，由於《西廂記》，紅娘二字也成為媒人的代名詞。

閱讀心得

閱讀心得

閱讀心得

閱讀心得

歷代・西元對照表

朝　　代	起迄時間
五帝	西元前2698年～西元前2184年
夏	西元前2183年～西元前1752年
商	西元前1751年～西元前1123年
西周	西元前1122年～西元前 771年
春秋戰國(東周)	西元前 770年～西元前 222年
秦	西元前 221年～西元前 207年
西漢	西元前 206年～西元 8年
新	西元 9年～西元 24年
東漢	西元 25年～西元 219年
魏(三國)	西元 220年～西元 264元
晉	西元 265年～西元 419年
南北朝	西元 420年～西元 588年
隋	西元 589年～西元 617年
唐	西元 618年～西元 906年
五代	西元 907年～西元 959年
北宋	西元 960年～西元 1126年
南宋	西元 1127年～西元 1276年
元	西元 1277年～西元 1367年
明	西元 1368年～西元 1643年
清	西元 1644年～西元 1911年
中華民國	西元 1912年

國家圖書館出版品預行編目資料

全新吳姐姐講歷史故事. 28. 元代/吳涵碧 著.
--初版.--臺北市；皇冠，1995〔民84〕
面；公分（皇冠叢書；第2385種）
ISBN 978-957-33-1164-5 （平裝）
1. 中國歷史

610.9　　84000129

皇冠叢書第2385種
第二十八集【元代】
全新吳姐姐講歷史故事〔注音本〕

作　　者—吳涵碧
繪　　圖—劉建志
發 行 人—平雲
出版發行—皇冠文化出版有限公司
台北市敦化北路120巷50號
電話◎02-27168888
郵撥帳號◎15261516號
皇冠出版社(香港)有限公司
香港銅鑼灣道180號百樂商業中心
19字樓1903室
電話◎2529-1778　傳真◎2527-0904
印　　務—林佳燕
校　　對—皇冠校對組
著作完成日期—1992年01月01日
香港發行日期—1995年09月25日
初版一刷日期—1995年10月01日
初版三十二刷日期—2021年05月
法律顧問—王惠光律師

讀者服務傳真專線◎02-27150507
電腦編號◎350028
ISBN◎978-957-33-1164-5
Printed in Taiwan
本書定價◎新台幣150元/港幣45元